#교과서×사고력
#게임하듯공부해
#스티커게임?리얼공부!

Go! 매쓰
초등 수학

저자 **김보미**

- 네이버 대표카페 '성공하는 공부방 운영하기' 운영자
- '미래엔', '메가스터디', '천재교육' 교재 기획 및 집필
- 전국 1,000개 이상의 공부방/선생님 컨설팅 및 교육
- 현재 〈GO! 매쓰〉 수학 공부방 운영

Chunjae
Maketh
Chunjae

▼

기획총괄	김안나
편집개발	이근우, 장지현, 서진호, 한인숙, 최수정, 김혜민, 장효선, 박웅
디자인총괄	김희정
표지디자인	윤순미
내지디자인	박희춘, 이혜미
제작	황성진, 조규영

발행일	2020년 10월 1일 2판 2020년 10월 1일 1쇄
발행인	(주)천재교육
주소	서울시 금천구 가산로9길 54
신고번호	제2001-000018호
고객센터	1577-0902
교재 구입 문의	1522-5566

"" 교과 개념과 사고력을 Play 활동을 통해 학습 흥미를 유발하고
교과 학습과 사고력을 동시에 다질 수 있는 GO! 매쓰 ""

교과와 **사고력**을 연계하여 **학습 능력 향상** 및 **사고력을 확장**할 수 있는
교과 + 사고력 GO! 매쓰 Run으로 수학의 길을 달려 보세요.

Run-A

6-1

구성과 특징

1 ^{주차} 교과 집중 학습

1 교과서 개념 완성

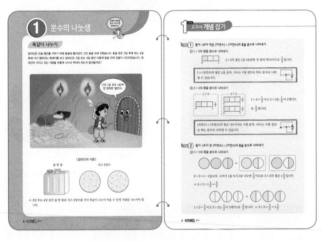

재미있는 수학 이야기로 단원에 대한 흥미를 높이고, 교과서 개념과 기본 문제를 학습합니다.

2 교과서 개념 PLAY

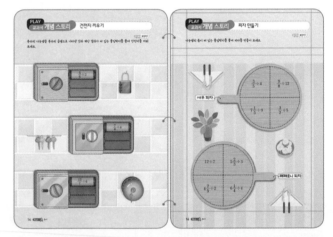

게임으로 개념을 학습하면서 집중력을 높여 쉽게 개념을 익히고 기본을 탄탄하게 만듭니다.

3 문제 풀이로 실력 & 자신감 UP!

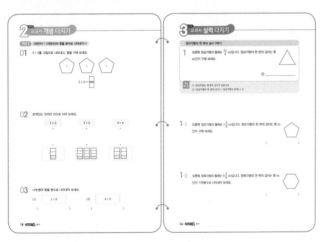

한 단계 더 나아간 교과서와 익힘 문제로 개념을 완성하고, 다양한 문제 유형으로 응용력을 키웁니다.

4 서술형 문제 풀이

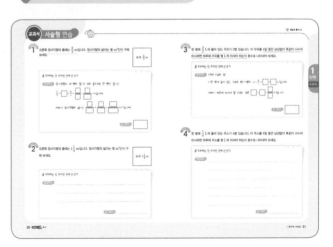

시험에 잘 나오는 서술형 문제 중심으로 단계별로 풀이하는 연습을 하여 서술하는 힘을 높여 줍니다.

2 주차 사고력 확장 학습

1 사고력 PLAY

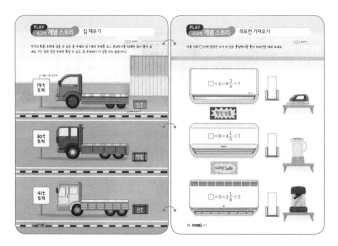

교과 심화 문제와 사고력 문제를 게임으로 쉽게 접근하여 어려운 문제에 대한 거부감을 낮추고 집중력을 높입니다.

2 교과 사고력 잡기

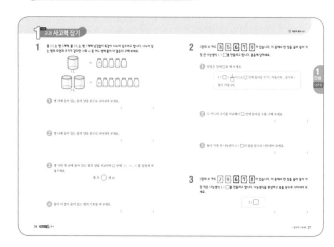

문제에 필요한 요소를 찾아 단계별로 해결하면서 문제 해결력을 키울 수 있는 힘을 기릅니다.

3 교과 사고력 확장+완성

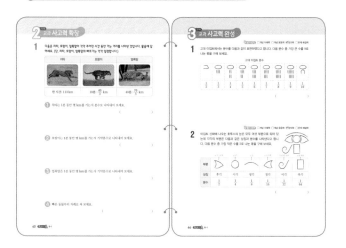

교과 학습과 사고력 학습을 얼마나 잘 이해하였는지 평가하여 배운 내용을 정리합니다.

4 종합평가 / 특강

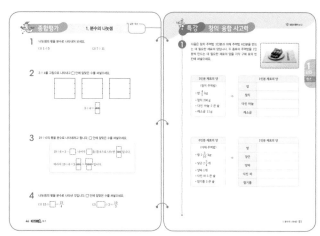

교과 학습과 사고력 학습을 얼마나 잘 이해하였는지 평가하여 배운 내용을 정리합니다.

1 분수의 나눗셈

단원과 관련된
분수 이야기를
살펴보아요.

똑같이 나누기

알라딘은 요술 램프를 구하기 위해 동굴에 들어갔다 그만 동굴 속에 갇혔습니다. 동굴 문은 3일 후에 또는 4일 후에 다시 열린다는 메세지를 보고 알라딘은 3일 또는 4일 동안 어떻게 동굴 안에 있을지 고민하였습니다. 알라딘이 가지고 있는 식량을 어떻게 나누어 먹어야 하는지 알아볼까요?

나는 3일 또는 4일에
한 번씩만 열린다!

〈알라딘의 식량〉

물 한 통   치즈 2덩이

   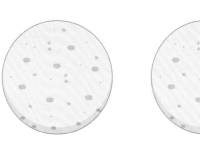

➡ 3일 또는 4일 동안 물 한 통과 치즈 2덩이를 각각 똑같이 나누어 먹을 수 있게 식량을 나누어야 합니다.

식량을 3일 동안 똑같이 나누어 먹는다면 하루 동안 얼마만큼 먹을 수 있는지 알아보려고 합니다. 각각의 식량을 3등분한 후 하루 동안 먹는 양만큼 빗금을 그어 보세요.

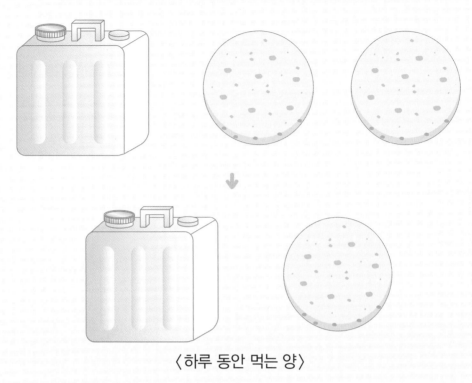

〈하루 동안 먹는 양〉

식량을 4일 동안 똑같이 나누어 먹는다면 하루 동안 얼마만큼 먹을 수 있는지 알아보려고 합니다. 각각의 식량을 4등분한 후 하루 동안 먹는 양만큼 빗금을 그어 보세요.

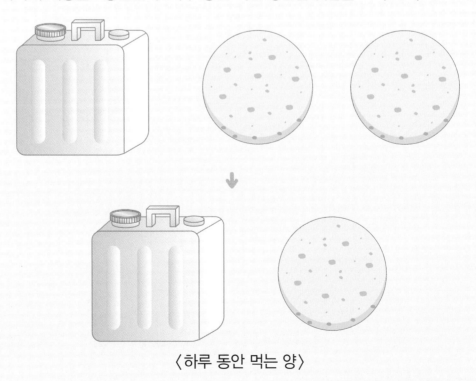

〈하루 동안 먹는 양〉

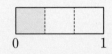

1단계 교과서 개념 잡기

개념 1 몫이 1보다 작은 (자연수)÷(자연수)의 몫을 분수로 나타내기

예 1÷3의 몫을 분수로 나타내기

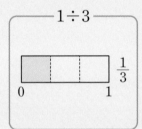

1÷3의 몫은 1을 3등분한 것 중의 하나이므로 $\frac{1}{3}$입니다.

> 1÷(자연수)의 몫은 1을 분자, 나누는 수를 분모로 하는 분수로 나타낼 수 있습니다.

예 2÷3의 몫을 분수로 나타내기

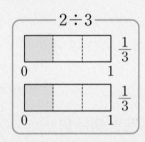

1÷3=$\frac{1}{3}$이고 2÷3은 $\frac{1}{3}$이 2개이므로 $\frac{2}{3}$입니다.

> (자연수)÷(자연수)의 몫은 나누어지는 수를 분자, 나누는 수를 분모로 하는 분수로 나타낼 수 있습니다.

개념 2 몫이 1보다 큰 (자연수)÷(자연수)의 몫을 분수로 나타내기

예 3÷2의 몫을 분수로 나타내기

  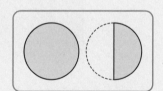

3÷2=1…1입니다. 나머지 1을 다시 2로 나누면 $\frac{1}{2}$이므로 3÷2의 몫은 $1\frac{1}{2}$입니다.

➡ 3÷2=$1\frac{1}{2}$=$\frac{3}{2}$

1÷2=$\frac{1}{2}$이고 3÷2는 $\frac{1}{2}$이 3개이므로 $\frac{3}{2}$입니다. ➡ 3÷2=$\frac{3}{2}$=$1\frac{1}{2}$

개념 확인 문제

1-1 1÷4를 그림으로 나타내고, 몫을 구해 보세요.

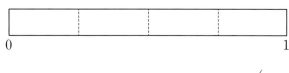

(   )

1-2 나눗셈의 몫을 분수로 나타내어 보세요.

(1) $1 \div 9$

(2) $3 \div 5$

(3) $2 \div 7$

(4) $8 \div 11$

2-1 $4 \div 3$의 몫을 분수로 나타내는 과정입니다. ☐ 안에 알맞은 수를 써넣으세요.

$1 \div 3 = \dfrac{\Box}{\Box}$ 입니다.

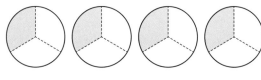

$4 \div 3$은 $\dfrac{1}{3}$이 ☐ 개입니다.

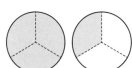

따라서 $4 \div 3 = \dfrac{\Box}{\Box} = \Box \dfrac{\Box}{\Box}$ 입니다.

2-2 나눗셈의 몫을 분수로 나타내어 보세요.

(1) $11 \div 7$

(2) $9 \div 4$

(3) $5 \div 3$

(4) $10 \div 9$

개념 **3** 분자가 자연수의 배수인 (분수)÷(자연수) 알아보기

예 $\frac{6}{7}\div 2$의 계산 → 6÷2가 나누어떨어집니다.

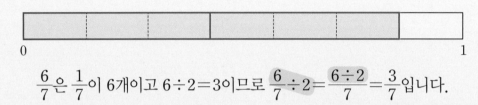

$\frac{6}{7}$은 $\frac{1}{7}$이 6개이고 6÷2=3이므로 $\frac{6}{7}\div 2=\frac{6\div 2}{7}=\frac{3}{7}$입니다.

> 분자가 자연수의 배수일 때에는 분자를 자연수로 나눕니다.

개념 **4** 분자가 자연수의 배수가 아닌 (분수)÷(자연수) 알아보기

예 $\frac{3}{5}\div 2$의 계산 → 3÷2가 나누어떨어지지 않습니다.

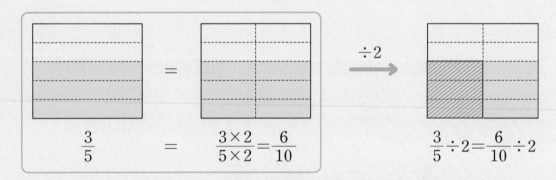

$$\frac{3}{5}=\frac{3\times 2}{5\times 2}=\frac{6}{10},\ \frac{6}{10}은\ \frac{1}{10}이\ 6개이고,\ 6\div 2=3이므로$$

$$\frac{3}{5}\div 2=\frac{6}{10}\div 2=\frac{6\div 2}{10}=\frac{3}{10}입니다.$$

> 분자가 자연수의 배수가 아닐 때에는 크기가 같은 분수 중에 분자가 자연수의 배수인 수로 바꾸어 계산합니다.

참고
- 어떤 수를 1배, 2배, 3배…… 한 수를 그 수의 배수라고 합니다.
- 크기가 같은 분수를 만들 때에는 분수의 분모와 분자에 0이 아닌 같은 수를 곱합니다.

예 $\frac{3}{5}=\frac{3\times 2}{5\times 2}=\frac{6}{10},\ \frac{3}{5}=\frac{3\times 3}{5\times 3}=\frac{9}{15},\ \frac{3}{5}=\frac{3\times 4}{5\times 4}=\frac{12}{20}$……

3-1 $\dfrac{8}{9} \div 2$의 몫을 구하려고 합니다. ☐ 안에 알맞은 수를 써넣으세요.

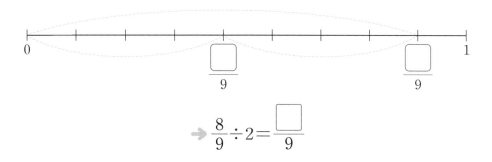

$$\rightarrow \dfrac{8}{9} \div 2 = \dfrac{\boxed{}}{9}$$

3-2 ☐ 안에 알맞은 수를 써넣으세요.

(1) $\dfrac{12}{13} \div 4 = \dfrac{\boxed{} \div \boxed{}}{13} = \dfrac{\boxed{}}{\boxed{}}$

(2) $\dfrac{9}{10} \div 3 = \dfrac{\boxed{} \div \boxed{}}{10} = \dfrac{\boxed{}}{\boxed{}}$

4-1 그림을 보고 ☐ 안에 알맞은 수를 써넣으세요.

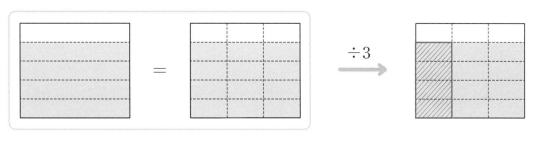

$$\dfrac{4}{5} = \dfrac{4 \times \boxed{}}{5 \times 3} = \dfrac{\boxed{}}{15}, \quad \dfrac{4}{5} \div 3 = \dfrac{\boxed{}}{15} \div 3 = \dfrac{\boxed{} \div 3}{15} = \dfrac{\boxed{}}{15}$$

4-2 계산해 보세요.

(1) $\dfrac{9}{11} \div 2$

(2) $\dfrac{2}{3} \div 5$

(3) $\dfrac{3}{4} \div 2$

(4) $\dfrac{4}{5} \div 7$

개념 5 (진분수)÷(자연수)를 분수의 곱셈으로 나타내어 계산하기

예 $\frac{2}{5}÷3$의 계산

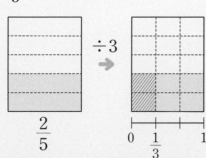

$\frac{2}{5}÷3$의 몫은 $\frac{2}{5}$를 3등분한 것 중의 하나입니다.

이것은 $\frac{2}{5}$의 $\frac{1}{3}$이므로 $\frac{2}{5}×\frac{1}{3}$입니다.

$\frac{2}{5}÷3=\frac{2}{5}×\frac{1}{3}=\frac{2}{15}$

• (진분수)÷(자연수)를 분수의 곱셈으로 나타내어 계산하는 방법

÷(자연수)를 ×$\frac{1}{(자연수)}$로 바꾼 다음 곱하여 계산합니다.

$\frac{3}{5}÷2$ → $\frac{3}{5}$~~×2~~ $\boxed{\frac{3}{5}×\frac{1}{2}}$

개념 6 (가분수)÷(자연수)를 분수의 곱셈으로 나타내어 계산하기

예 $\frac{7}{4}÷3$의 계산

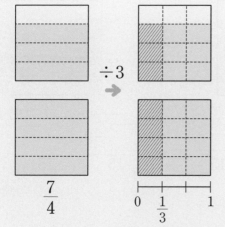

$\frac{7}{4}÷3$의 몫은 $\frac{7}{4}$을 3등분한 것 중의 하나입니다.

이것은 $\frac{7}{4}$의 $\frac{1}{3}$이므로 $\frac{7}{4}×\frac{1}{3}$입니다.

$\frac{7}{4}÷3=\frac{7}{4}×\frac{1}{3}=\frac{7}{12}$

• (가분수)÷(자연수)를 분수의 곱셈으로 나타내어 계산하는 방법

÷(자연수)를 ×$\frac{1}{(자연수)}$로 바꾼 다음 곱하여 계산합니다.

$\frac{9}{4}÷2$ → $\frac{9}{4}$~~×2~~ $\boxed{\frac{9}{4}×\frac{1}{2}}$

개념 확인 문제

5-1 □ 안에 알맞은 수를 써넣으세요.

(1) $\dfrac{5}{6} \div 7 = \dfrac{5}{6} \times \dfrac{1}{\boxed{}} = \dfrac{\boxed{}}{\boxed{}}$

(2) $\dfrac{3}{4} \div 2 = \dfrac{3}{4} \times \dfrac{1}{\boxed{}} = \dfrac{\boxed{}}{\boxed{}}$

5-2 그림을 보고 □ 안에 알맞은 수를 써넣으세요.

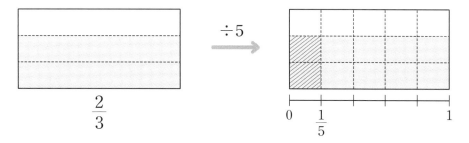

$$\dfrac{2}{3} \div 5 = \dfrac{2}{3} \times \dfrac{\boxed{}}{\boxed{}} = \dfrac{\boxed{}}{\boxed{}}$$

6-1 관계있는 것끼리 선으로 이어 보세요.

$\dfrac{10}{7} \div 7$ •

$\dfrac{8}{5} \div 3$ •

• $\dfrac{8}{15}$

• $\dfrac{10}{49}$

6-2 계산해 보세요.

(1) $\dfrac{7}{3} \div 3$

(2) $\dfrac{11}{9} \div 5$

(3) $\dfrac{15}{11} \div 4$

(4) $\dfrac{13}{8} \div 9$

개념 7 (대분수)÷(자연수) 알아보기

예 $2\dfrac{3}{4}÷3$의 계산

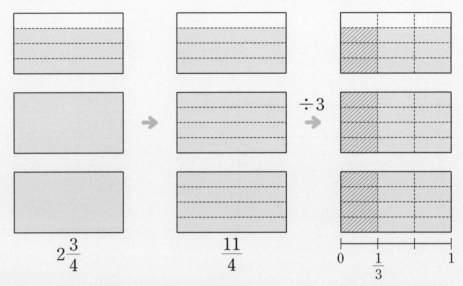

$$2\dfrac{3}{4} \qquad \dfrac{11}{4} \qquad 0 \quad \dfrac{1}{3} \qquad 1$$

대분수 $2\dfrac{3}{4}$을 가분수로 바꾸면 $\dfrac{11}{4}$이고 $\dfrac{11}{4}÷3$의 몫은 $\dfrac{11}{4}$을 3등분한 것 중의 하나입니다.

이것은 $\dfrac{11}{4}$의 $\dfrac{1}{3}$이므로 $\dfrac{11}{4}×\dfrac{1}{3}$입니다. ➡ $2\dfrac{3}{4}÷3=\dfrac{11}{4}÷3=\dfrac{11}{4}×\dfrac{1}{3}=\dfrac{11}{12}$

예 $1\dfrac{4}{5}÷4$의 계산

방법1 대분수를 가분수로 바꾸고 분수의 분자를 자연수로 나누어 계산합니다.

$$1\dfrac{4}{5}÷4=\dfrac{9}{5}÷4=\dfrac{36}{20}÷4=\dfrac{36÷4}{20}=\dfrac{9}{20}$$

대분수를 가분수로 ┘ └ 크기가 같은 분수 중에 분자가 자연수의 배수인 수로 바꿉니다.
나타냅니다.

방법2 대분수를 가분수로 바꾸고 나눗셈을 곱셈으로 나타내어 계산합니다.

$$1\dfrac{4}{5}÷4=\dfrac{9}{5}÷4=\dfrac{9}{5}×\dfrac{1}{4}=\dfrac{9}{20}$$

대분수를 가분수로   나눗셈을 곱셈으로
나타냅니다.   나타냅니다.

> 분자가 자연수로 나누어떨어질 때에는 분자를 자연수로 나누어 구하는 것이 편리하고, 분자가 자연수로 나누어떨어지지 않을 때에는 나눗셈을 곱셈으로 나타내어 계산하는 것이 편리합니다.

개념 확인 문제

7-1 $3\dfrac{2}{5} \div 4$를 곱셈으로 바르게 나타낸 것을 찾아 ○표 하세요.

$$\dfrac{17}{5} \times 4 \qquad\qquad \dfrac{17}{5} \times \dfrac{1}{4} \qquad\qquad \dfrac{5}{17} \times \dfrac{1}{4}$$

(   )   (   )   (   )

7-2 $1\dfrac{2}{5} \div 6$을 두 가지 방법으로 계산하려고 합니다. ☐ 안에 알맞은 수를 써넣으세요.

방법1 $1\dfrac{2}{5} \div 6 = \dfrac{\Box}{5} \div 6 = \dfrac{\Box}{30} \div 6 = \dfrac{\Box \div 6}{30} = \dfrac{\Box}{\Box}$

방법2 $1\dfrac{2}{5} \div 6 = \dfrac{\Box}{5} \div 6 = \dfrac{\Box}{5} \times \dfrac{1}{\Box} = \dfrac{\Box}{\Box}$

7-3 계산해 보세요.

(1) $6\dfrac{1}{8} \div 7$

(2) $10\dfrac{5}{7} \div 5$

(3) $1\dfrac{3}{7} \div 3$

(4) $2\dfrac{5}{9} \div 4$

7-4 잘못 계산한 부분을 찾아 바르게 계산해 보세요.

$$1\dfrac{4}{9} \div 4 = 1\dfrac{\overset{1}{\cancel{4}}}{9} \times \dfrac{1}{\underset{1}{\cancel{4}}} = 1\dfrac{1}{9}$$

바른 계산

준비물 붙임딱지

분수의 나눗셈을 분수의 곱셈으로 나타낸 것과 계산 결과가 써 있는 붙임딱지를 붙여 건전지를 끼워 보세요.

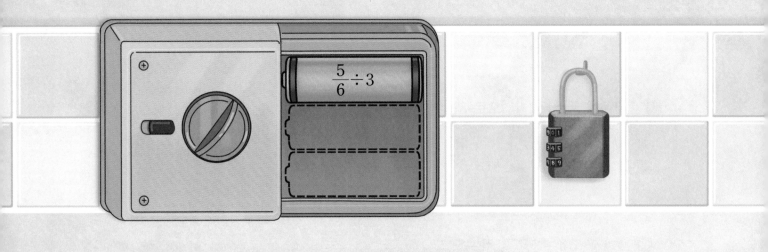

$\dfrac{5}{6} \div 3$

$\dfrac{7}{8} \div 4$

$\dfrac{13}{7} \div 6$

준비물 ◀ 붙임딱지

나눗셈의 몫이 써 있는 붙임딱지를 붙여 피자를 만들어 보세요.

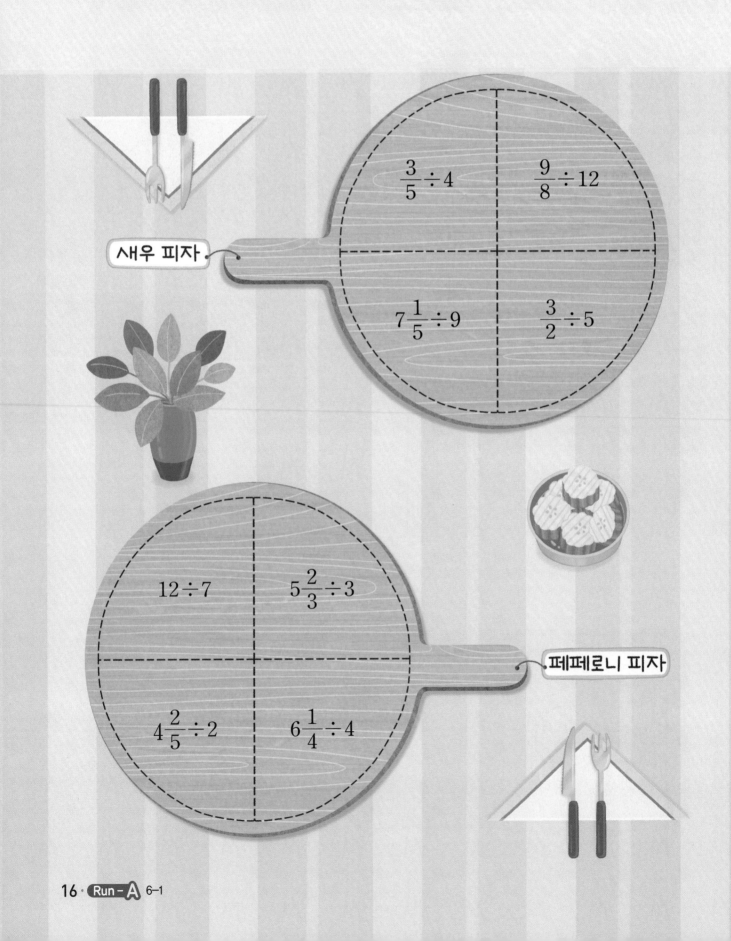

새우 피자

$$\frac{3}{5} \div 4 \qquad \frac{9}{8} \div 12$$

$$7\frac{1}{5} \div 9 \qquad \frac{3}{2} \div 5$$

$$12 \div 7 \qquad 5\frac{2}{3} \div 3$$

$$4\frac{2}{5} \div 2 \qquad 6\frac{1}{4} \div 4$$

페페로니 피자

보미네 피자

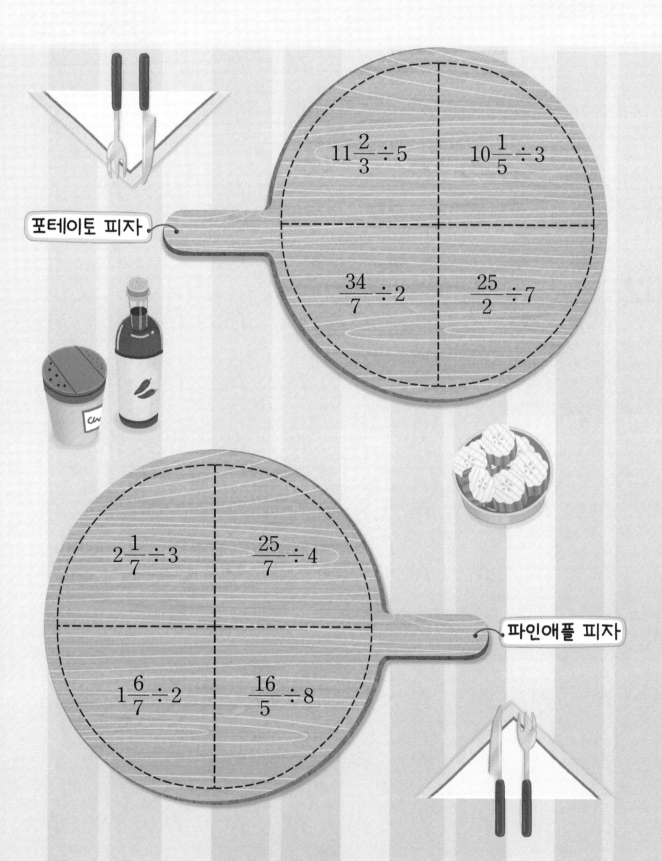

포테이토 피자

$$11\frac{2}{3} \div 5 \qquad 10\frac{1}{5} \div 3$$

$$\frac{34}{7} \div 2 \qquad \frac{25}{2} \div 7$$

$$2\frac{1}{7} \div 3 \qquad \frac{25}{7} \div 4$$

파인애플 피자

$$1\frac{6}{7} \div 2 \qquad \frac{16}{5} \div 8$$

개념 1 (자연수)÷(자연수)의 몫을 분수로 나타내기(1)

01 3÷5를 그림으로 나타내고, 몫을 구해 보세요.

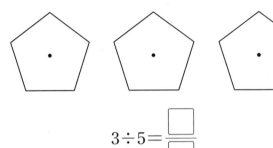

$$3 \div 5 = \frac{\square}{\square}$$

02 관계있는 것끼리 선으로 이어 보세요.

1÷3	2÷3	3÷4

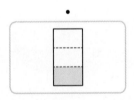 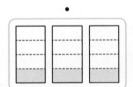 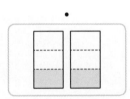

03 나눗셈의 몫을 분수로 나타내어 보세요.

(1) ｜ 1÷9 ｜

(   )

(2) ｜ 4÷9 ｜

(   )

개념 2 (자연수)÷(자연수)의 몫을 분수로 나타내기 (2)

04 5÷4를 그림으로 나타내고, 몫을 구해 보세요.

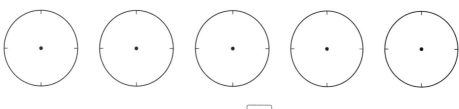

$$5 \div 4 = \dfrac{\Box}{\Box}$$

05 빈칸에 나눗셈의 몫을 분수로 써넣으세요.

(1)

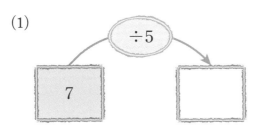

(2)

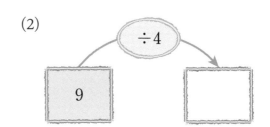

06 나눗셈의 몫을 분수로 바르게 나타낸 것을 모두 찾아 기호를 써 보세요.

$$\bigcirc\ 11 \div 4 = \dfrac{11}{4} \qquad \bigcirc\ 9 \div 7 = \dfrac{7}{9}$$

$$\bigcirc\ 12 \div 7 = \dfrac{12}{7} \qquad \bigcirc\ 5 \div 4 = \dfrac{4}{5}$$

(   )

개념 3 (분수)÷(자연수) 알아보기(1)

07 나눗셈의 몫을 찾아 선으로 이어 보세요.

$\frac{10}{11}\div5$ •	• $\frac{6}{23}$
	• $\frac{6}{55}$
$\frac{18}{23}\div3$ •	• $\frac{2}{11}$

08 작은 수를 큰 수로 나눈 몫을 구해 보세요.

$\frac{10}{17}$　　　5

(　　　　　　　　)

09 끈 $\frac{8}{9}$m를 겹치지 않게 모두 사용하여 정사각형 모양을 1개 만들었습니다. 이 정사각형의 한 변의 길이는 몇 m인지 식을 쓰고 답을 구하세요.

식 ______________________

답 ______________________

개념 4 (분수)÷(자연수) 알아보기(2)

10 잘못 계산한 부분을 찾아 바르게 계산해 보세요.

$$\frac{3}{10} \div 2 = \frac{3}{10 \div 2} = \frac{3}{5}$$

바른 계산 _____

11 빈칸에 알맞은 분수를 써넣으세요.

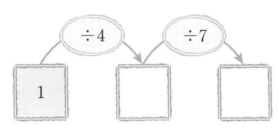

12 계산 결과를 비교하여 ○ 안에 >, =, <를 알맞게 써넣으세요.

$$\frac{5}{6} \div 4 \qquad \bigcirc \qquad \frac{7}{8} \div 3$$

개념5 (분수)÷(자연수)를 분수의 곱셈으로 나타내기

13 $\frac{5}{6} \div 4$를 곱셈으로 바르게 나타낸 것에 ○표 하세요.

$$\frac{5}{6} \times \frac{4}{6}$$

$$\frac{5}{6} \times \frac{1}{4}$$

(   )   (   )

14 계산 결과가 다른 하나를 찾아 기호를 써 보세요.

㉠ $\frac{7}{6} \div 3$ ㉡ $\frac{7}{6 \times 3}$ ㉢ $\frac{7 \times 3}{6}$ ㉣ $\frac{7}{6} \times \frac{1}{3}$

(   )

15 진분수를 자연수로 나눈 몫을 구해 보세요.

$$\frac{7}{9} \qquad \frac{11}{9} \qquad 3 \qquad \frac{14}{9}$$

(   )

16 주스 $\frac{15}{4}$ L를 컵 7개에 똑같이 나누어 모두 담았습니다. 컵 한 개에 담은 주스는 몇 L인지 식을 쓰고 답을 구해 보세요.

식 _____

답 _____

개념 6 (대분수)÷(자연수) 알아보기

17 $3\frac{1}{8}÷5$를 두 가지 방법으로 계산해 보세요.

방법1 _____

방법2 _____

18 잘못 계산한 부분을 찾아 바르게 계산해 보세요.

$$2\frac{6}{7}÷3=2\frac{6÷3}{7}=2\frac{2}{7}$$

바른 계산 _____

19 계산 결과를 비교하여 ○ 안에 $>$, $=$, $<$를 알맞게 써넣으세요.

$$1\frac{7}{8}÷3 \bigcirc 4\frac{3}{8}÷5$$

★ 정다각형의 한 변의 길이 구하기

1 오른쪽 정삼각형의 둘레는 $\dfrac{11}{4}$ m입니다. 정삼각형의 한 변의 길이는 몇 m인지 구해 보세요.

답 _____

개념
피드백

① 정삼각형은 세 변의 길이가 같습니다.
② (정삼각형의 한 변의 길이)＝(정삼각형의 둘레)÷3

1-1 오른쪽 정오각형의 둘레는 $1\dfrac{5}{6}$ m입니다. 정오각형의 한 변의 길이는 몇 m 인지 구해 보세요.

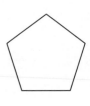

(   )

1-2 오른쪽 정육각형의 둘레는 $5\dfrac{3}{9}$ m입니다. 정육각형의 한 변의 길이는 몇 m 인지 기약분수로 나타내어 보세요.

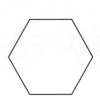

(   )

★ **두 분수 사이의 자연수 구하기**

2 ㉠과 ㉡ 사이의 자연수를 모두 구해 보세요.

㉠ $7 \div 5$ ㉡ $19 \div 3$

답 _____

**개념
피드백**

① $\blacktriangle \div \bullet = \dfrac{\blacktriangle}{\bullet}$

② $\blacksquare \dfrac{\blacktriangle}{\bullet}$ 보다 큰 자연수는 $(\blacksquare+1), (\blacksquare+2), (\blacksquare+3)$……이고, $\blacksquare \dfrac{\blacktriangle}{\bullet}$ 보다 작은 자연수는 $\blacksquare, (\blacksquare-1),$ $(\blacksquare-2)$……입니다.

2-1 ㉠과 ㉡ 사이의 자연수를 모두 구해 보세요.

㉠ $4 \div 7$ ㉡ $21 \div 4$

( )

2-2 ㉠과 ㉡ 사이의 자연수는 모두 몇 개인지 구해 보세요.

㉠ $1\dfrac{5}{7} \div 8$ ㉡ $9 \div 2$

( )

★ **각각 나타내는 수의 합과 차 구하기**

3 ㉠과 ㉡의 합을 기약분수로 나타내어 보세요.

$$㉠\ 3\frac{1}{5} \div 4 \qquad ㉡\ 3\frac{3}{5} \div 6$$

답 _____

개념 피드백
① ㉠과 ㉡을 각각 계산합니다.
② ㉠+㉡을 구합니다.

3-1 ㉠과 ㉡의 합을 기약분수로 나타내어 보세요.

$$㉠\ 1\frac{5}{7} \div 3 \qquad ㉡\ 4\frac{2}{7} \div 6$$

( )

3-2 ㉠과 ㉡의 차를 구해 보세요.

$$㉠\ 4\frac{2}{3} \div 5 \qquad ㉡\ 1\frac{2}{5} \div 3$$

( )

★ ☐ 안에 들어갈 수 있는 자연수 구하기

4 ☐ 안에 들어갈 수 있는 자연수를 모두 구해 보세요.

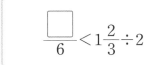

$$\frac{\square}{6} < 1\frac{2}{3} \div 2$$

답 _____

개념 피드백 ① 계산할 수 있는 부분을 먼저 계산합니다.
② 분모가 같은 분수는 분자가 클수록 더 큰 수입니다.

4-1 ☐ 안에 들어갈 수 있는 자연수를 모두 구해 보세요.

$$2\frac{1}{3} \div 4 > \frac{\square}{12}$$

( )

4-2 ☐ 안에 들어갈 수 있는 자연수 중 가장 큰 수를 구해 보세요.

$$5 \div \square > 1$$

( )

★ 어떤 수 구하기

5 어떤 수에 4를 곱했더니 $\frac{5}{9}$가 되었습니다. 어떤 수를 구해 보세요.

답 _____

 개념
피드백

① 어떤 수를 □라 하고 식을 세웁니다.
② 곱셈과 나눗셈의 관계를 이용하여 □를 구합니다.

5-1 어떤 수에 9를 곱했더니 $\frac{7}{4}$이 되었습니다. 어떤 수를 구해 보세요.

( )

5-2 어떤 수에 6을 곱했더니 $2\frac{1}{3}$이 되었습니다. 어떤 수를 구해 보세요.

( )

5-3 어떤 수를 5로 나누어야 할 것을 잘못하여 곱했더니 $3\frac{1}{8}$이 되었습니다. 바르게 계산한 값을 기약분수로 나타내어 보세요.

( )

★ **수 카드로 나눗셈식 만들어 계산하기**

6 수 카드 3장을 한 번씩 모두 사용하여 계산 결과가 가장 큰 (진분수)÷(자연수)를 만들고 계산해 보세요.

[2] [3] [5] ➡ $\dfrac{\square}{\square} \div \square$

답 _____

개념 피드백

① 나누어지는 수를 가장 크게, 나누는 수를 가장 작게 만듭니다.

② $\dfrac{\blacktriangle}{\blacksquare} \div \bullet = \dfrac{\blacktriangle}{\blacksquare} \times \dfrac{1}{\bullet} = \dfrac{\blacktriangle}{\blacksquare \times \bullet}$

6-1 수 카드 3장을 한 번씩 모두 사용하여 계산 결과가 가장 큰 (진분수)÷(자연수)를 만들고 계산해 보세요.

[3] [5] [7] ➡ $\dfrac{\square}{\square} \div \square$

(   )

6-2 수 카드 4장을 한 번씩 모두 사용하여 계산 결과가 가장 작은 (대분수)÷(자연수)를 만들고 계산하여 기약분수로 나타내어 보세요.

[2] [4] [5] [8] ➡ $\square\dfrac{\square}{\square} \div \square$

(   )

1 오른쪽 정사각형의 둘레는 $\frac{5}{3}$ m입니다. 정사각형의 넓이는 몇 m²인지 구해 보세요.

둘레: $\frac{5}{3}$ m

✎ 구하려는 것, 주어진 것에 선 긋기

해결하기 정사각형의 네 변의 길이는 모두 같으므로 한 변의 길이는

$$\frac{5}{3} \div \boxed{} = \frac{5}{3} \times \frac{\boxed{}}{\boxed{}} = \frac{\boxed{}}{\boxed{}} \text{ (m)입니다.}$$

따라서 정사각형의 넓이는 $\frac{\boxed{}}{\boxed{}} \times \frac{\boxed{}}{\boxed{}} = \frac{\boxed{}}{\boxed{}}$ (m²)입니다.

답 구하기

2 오른쪽 정사각형의 둘레는 $1\frac{1}{4}$ m입니다. 정사각형의 넓이는 몇 m²인지 구해 보세요.

둘레: $1\frac{1}{4}$ m

✎ 구하려는 것, 주어진 것에 선 긋기

해결하기

답 구하기

3 한 병에 $\dfrac{3}{2}$ L씩 들어 있는 우유가 2병 있습니다. 이 우유를 4일 동안 남김없이 똑같이 나누어 마시려면 하루에 우유를 몇 L씩 마셔야 하는지 분수로 나타내어 보세요.

✏ 구하려는 것, 주어진 것에 선 긋기

해결하기 (전체 우유의 양)

$=$(한 병에 들어 있는 우유의 양)×(병의 수)$=\dfrac{3}{2}$ × $\boxed{}$ $=$ $\boxed{}$ (L)입니다.

따라서 하루에 마셔야 할 우유의 양은 $\boxed{}$ ÷ $\boxed{}$ $=$ $\dfrac{\boxed{}}{\boxed{}}$ (L)입니다.

답 구하기 $\boxed{}$

4 한 병에 $\dfrac{7}{4}$ L씩 들어 있는 주스가 4병 있습니다. 이 주스를 8일 동안 남김없이 똑같이 나누어 마시려면 하루에 주스를 몇 L씩 마셔야 하는지 분수로 나타내어 보세요.

✏ 구하려는 것, 주어진 것에 선 긋기

해결하기

답 구하기

준비물 붙임딱지

각각의 화물 트럭에 실을 수 있는 총 무게와 짐 1개의 무게를 보고 붙임딱지를 최대한 많이 붙여 보세요. (단, 짐은 같은 무게만 붙일 수 있고, 총 무게보다 더 실을 수는 없습니다.)

실을 수 있는 총 무게

19t 트럭

5t

짐 1개의 무게

30t 트럭

7t

41t 트럭

8t

$16\dfrac{4}{5}t$
트럭

4t

$17\dfrac{1}{4}t$
트럭

3t

$23\dfrac{1}{7}t$
트럭

6t

다음 식의 □ 안에 알맞은 수가 써 있는 붙임딱지를 붙여 리모컨을 채워 보세요.

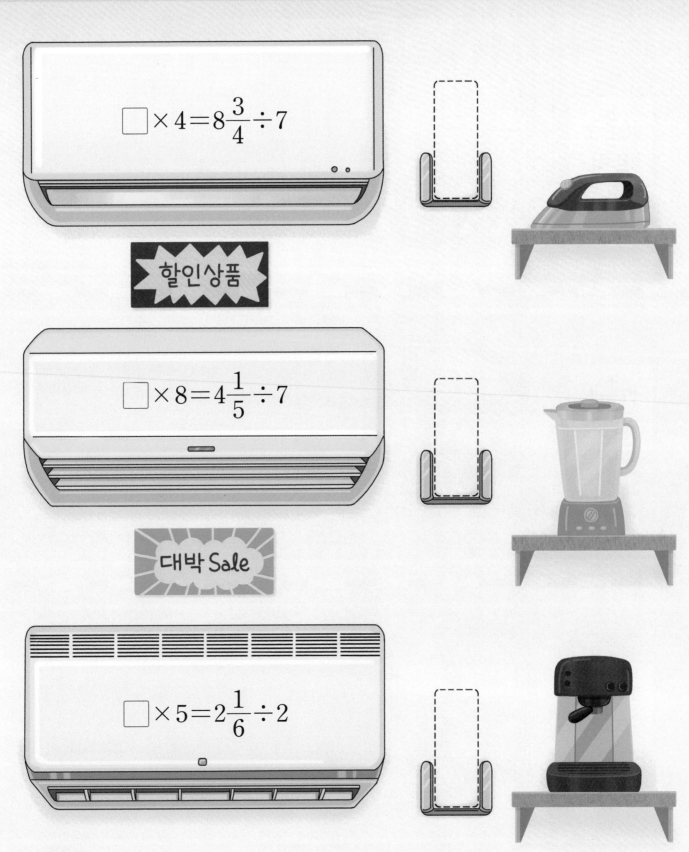

$$\square \times 4 = 8\frac{3}{4} \div 7$$

할인상품

$$\square \times 8 = 4\frac{1}{5} \div 7$$

대박 Sale

$$\square \times 5 = 2\frac{1}{6} \div 2$$

$$\square \times 7 = 2\frac{5}{8} \div 9$$

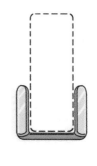

대박 Sale

$$\square \times 3 = \frac{18}{5} \div 4$$

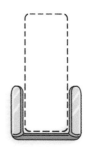

할인상품

$$\square \times 2 = 3\frac{1}{5} \div 12$$

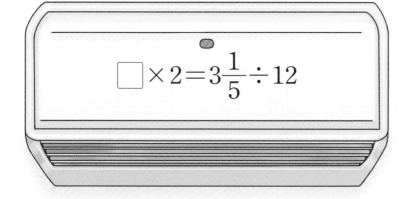

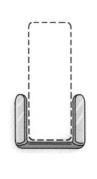

1 물 1 L는 병 5개에, 물 2 L는 병 7개에 남김없이 똑같이 나누어 담으려고 합니다. 나누어 담는 병의 모양과 크기가 같다면 가와 나 중 어느 병에 물이 더 많은지 구해 보세요.

1 L

2 L

① 병 가에 들어 있는 물의 양을 분수로 나타내어 보세요.

(   )

② 병 나에 들어 있는 물의 양을 분수로 나타내어 보세요.

(   )

③ 병 가와 병 나에 들어 있는 물의 양을 비교하여 ○ 안에 >, =, <를 알맞게 써 넣으세요.

병 가 ○ 병 나

④ 물이 더 많이 들어 있는 병의 기호를 써 보세요.

(   )

2 5장의 수 카드 3, 5, 6, 7, 9 가 있습니다. 이 중에서 한 장을 골라 몫이 가장 큰 나눗셈식 $1 \div \square$ 를 만들려고 합니다. 물음에 답하세요.

① 알맞은 말에 ○표 해 보세요.

$1 \div \square = \dfrac{1}{\square}$ 이므로 $\square$ 안에 들어갈 수가 (작을수록 , 클수록) 몫이 커집니다.

② 수 카드의 크기를 비교해서 $\square$ 안에 들어갈 수를 구해 보세요.

(   )

③ 몫이 가장 큰 나눗셈식 $1 \div \square$ 의 몫을 분수로 나타내어 보세요.

(   )

3 5장의 수 카드 2, 4, 6, 7, 8 이 있습니다. 이 중에서 한 장을 골라 몫이 가장 작은 나눗셈식 $1 \div \square$ 를 만들려고 합니다. 나눗셈식을 완성하고 몫을 분수로 나타내어 보세요.

$$1 \div \square$$

(   )

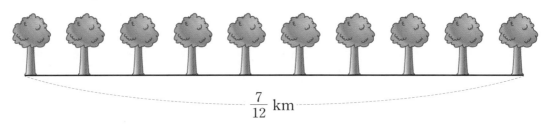
4 길이가 $\frac{7}{12}$ km인 도로의 한쪽에 처음부터 끝까지 같은 간격으로 가로수 10그루를 심으려고 합니다. 가로수 사이의 간격은 몇 km로 해야 하는지 구해 보세요. (단, 가로수의 굵기는 생각하지 않습니다.)

$\frac{7}{12}$ km

❶ 가로수 사이의 간격은 몇 군데인지 구해 보세요.

( )

❷ 가로수 사이의 간격은 몇 km로 해야 하는지 구해 보세요.

( )

5 둘레가 $8\frac{2}{3}$ m인 원 모양의 울타리에 같은 간격으로 꽃 12송이를 심으려고 합니다. 꽃 사이의 간격은 몇 m로 해야 하는지 기약분수로 나타내어 보세요. (단, 꽃의 굵기는 생각하지 않습니다.)

( )

6 넓이가 $32\frac{2}{5}$ m²인 밭이 있습니다. 이 밭의 $\frac{3}{8}$에는 호박을 심고 남은 부분의 반에는 상추를 심었습니다. 상추를 심은 부분의 넓이는 몇 m²인지 구해 보세요.

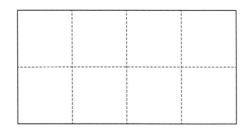

① 호박을 심은 부분을 빨간색으로 색칠해 보세요.

② 호박을 심고 남은 부분은 전체의 몇 분의 몇인지 분수로 나타내어 보세요.

( )

③ 호박을 심고 남은 부분의 넓이는 몇 m²인지 기약분수로 나타내어 보세요.

( )

④ 상추를 심은 부분의 넓이는 몇 m²인지 구해 보세요.

( )

7 넓이가 $9\frac{4}{5}$ m²인 꽃밭이 있습니다. 꽃밭의 $\frac{5}{7}$에는 장미를 심고 남은 부분의 반에는 해바라기를 심었습니다. 해바라기를 심은 부분의 넓이는 몇 m²인지 기약분수로 나타내어 보세요.

( )

1 다음은 치타, 호랑이, 얼룩말이 각각 주어진 시간 동안 가는 거리를 나타낸 것입니다. 물음에 답하세요. (단, 치타, 호랑이, 얼룩말의 빠르기는 각각 일정합니다.)

치타	호랑이	얼룩말
한 시간: 113 km	10분: $\dfrac{40}{3}$ km	40분: $\dfrac{70}{3}$ km

① 치타는 1분 동안 몇 km를 가는지 분수로 나타내어 보세요.

(   )

② 호랑이는 1분 동안 몇 km를 가는지 기약분수로 나타내어 보세요.

(   )

③ 얼룩말은 1분 동안 몇 km를 가는지 기약분수로 나타내어 보세요.

(   )

④ 빠른 동물부터 차례로 써 보세요.

(   )

2 수직선에서 $\dfrac{1}{4}$과 $\dfrac{7}{8}$ 사이를 5등분 하였습니다. ㉠에 알맞은 수를 구해 보세요.

$\dfrac{1}{4}$ ㉠ $\dfrac{7}{8}$

① $\dfrac{1}{4}$과 $\dfrac{7}{8}$ 사이의 크기를 구해 보세요.

(   )

② 눈금 한 칸의 크기를 구해 보세요.

(   )

③ $\dfrac{1}{4}$과 ㉠ 사이의 크기를 구해 보세요.

(   )

④ ㉠에 알맞은 수를 구해 보세요.

(   )

3 수직선에서 $\dfrac{3}{5}$과 $\dfrac{6}{7}$ 사이를 3등분 하였습니다. ㉠에 알맞은 수를 구해 보세요.

$\dfrac{3}{5}$ ㉠ $\dfrac{6}{7}$

(   )

4 넓이가 $32\frac{4}{7}$ cm²인 직사각형의 일부분을 색칠한 것입니다. 색칠한 부분의 넓이는 몇 cm²인지 구해 보세요.

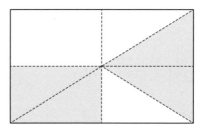

① 전체를 8등분한 모양이 되도록 위 직사각형에 점선을 한 개만 그어 보세요.

② 색칠한 부분은 전체의 몇 분의 몇인지 구해 보세요.

(   )

③ 색칠한 부분의 넓이는 몇 cm²인지 기약분수로 나타내어 보세요.

(   )

5 넓이가 $4\frac{2}{9}$ m²인 정사각형 일부분을 색칠한 것입니다. 색칠한 부분의 넓이는 몇 m²인지 기약분수로 나타내어 보세요.

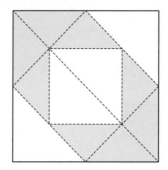

(   )

6 ■$=2\dfrac{3}{8}$, ●$=3$일 때 다음 식의 값을 구해 보세요.

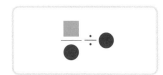

1 바르게 나타낸 것에 ○표 하세요.

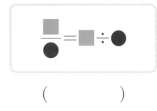   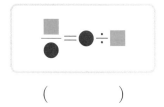

(   )   (   )

2 $\dfrac{■}{●}$의 값을 구해 보세요.

(   )

3 $\dfrac{■}{●}÷●$의 값을 구해 보세요.

(   )

7 ★$=\dfrac{7}{4}$, ♥$=5$일 때 다음 식의 값을 구해 보세요.

(   )

1 고대 이집트에서는 분수를 다음과 같이 표현하였다고 합니다. 다음 분수 중 가장 큰 수를 9로 나눈 몫을 구해 보세요.

고대 이집트 분수

$\frac{1}{2}$	$\frac{1}{3}$	$\frac{1}{4}$	$\frac{1}{5}$	$\frac{1}{6}$	$\frac{1}{7}$	$\frac{1}{8}$	$\frac{1}{9}$	$\frac{1}{10}$

(   )

2 이집트 신화에 나오는 호루스의 눈은 모두 여섯 부분으로 되어 있는데 각각의 부분은 다음과 같은 상징과 분수를 나타낸다고 합니다. 다음 분수 중 가장 작은 수를 2로 나눈 몫을 구해 보세요.

부분	눈의 오른쪽	눈동자	눈썹	눈의 왼쪽	구부러진 꼬리	눈물 방울
상징	후각	시각	생각	청각	미각	촉각
분수	$\frac{1}{2}$	$\frac{1}{4}$	$\frac{1}{8}$	$\frac{1}{16}$	$\frac{1}{32}$	$\frac{1}{64}$

(   )

평가 영역 ☐개념 이해력 ☐개념 응용력 ☐창의력 ☑문제 해결력

3 북두칠성을 이용하면 북극성을 찾을 수 있다고 합니다. 북두칠성의 별 ㉮와 ㉯ 사이의 거리의 5배가 되는 곳에 북극성이 있을 때 별 ㉮와 ㉯ 사이의 거리는 몇 km인지 기약분수로 나타내어 보세요.

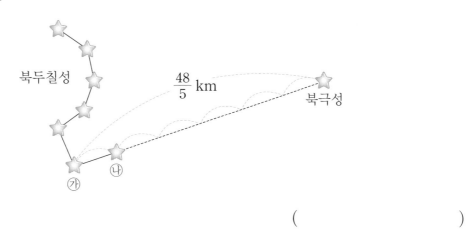

(   )

평가 영역 ☐개념 이해력 ☐개념 응용력 ☐창의력 ☑문제 해결력

4 유리병 실로폰은 물의 높이가 높을수록 낮은 음을 낸다고 합니다. 가장 낮은 음을 내는 유리병의 물의 높이는 가장 높은 음을 내는 유리병의 물의 높이의 몇 배인지 기약분수로 나타내어 보세요.

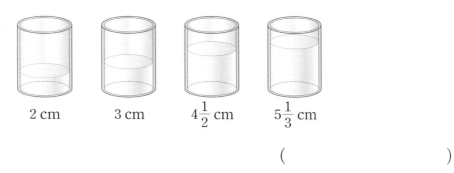

| 2 cm | 3 cm | $4\frac{1}{2}$ cm | $5\frac{1}{3}$ cm |

(   )

1 나눗셈의 몫을 분수로 나타내어 보세요.

(1) $1 \div 5$

(2) $7 \div 11$

2 $3 \div 4$를 그림으로 나타내고 □ 안에 알맞은 수를 써넣으세요.

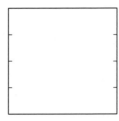 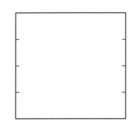 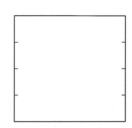

$$3 \div 4 = \dfrac{\square}{\square}$$

3 $19 \div 6$의 몫을 분수로 나타내려고 합니다. □ 안에 알맞은 수를 써넣으세요.

$19 \div 6 = 3 \cdots \boxed{}$, 나머지 $\boxed{}$을/를 6으로 나누면 $\dfrac{\square}{\square}$입니다.

따라서 $19 \div 6 = 3\dfrac{\square}{\square} = \dfrac{\square}{\square}$입니다.

4 나눗셈의 몫을 분수로 나타낸 것입니다. □ 안에 알맞은 수를 써넣으세요.

(1) $15 \div \boxed{} = \dfrac{15}{4}$

(2) $\boxed{} \div 3 = \dfrac{10}{3}$

5 관계있는 것끼리 선으로 이어 보세요.

$$\dfrac{2}{5} \div 3$$ •　　　　• $$\dfrac{5}{4} \times \dfrac{1}{2}$$ •　　　　• $$\dfrac{5}{8}$$

$$\dfrac{5}{4} \div 2$$ •　　　　• $$\dfrac{2}{5} \times \dfrac{1}{3}$$ •　　　　• $$\dfrac{5}{6}$$

$$3\dfrac{1}{3} \div 4$$ •　　　　• $$\dfrac{10}{3} \times \dfrac{1}{4}$$ •　　　　• $$\dfrac{2}{15}$$

1
단원
평가

6 $2\dfrac{3}{4} \div 5$를 두 가지 방법으로 계산하려고 합니다. ☐ 안에 알맞은 수를 써넣으세요.

방법1 $2\dfrac{3}{4} \div 5 = \dfrac{\boxed{}}{4} \div 5 = \dfrac{\boxed{}}{20} \div 5 = \dfrac{\boxed{} \div 5}{20} = \dfrac{\boxed{}}{\boxed{}}$

방법2 $2\dfrac{3}{4} \div 5 = \dfrac{\boxed{}}{4} \div 5 = \dfrac{\boxed{}}{4} \times \dfrac{1}{\boxed{}} = \dfrac{\boxed{}}{\boxed{}}$

7 빈 곳에 알맞은 수를 써넣으세요.

(1)
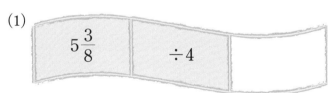

(2)
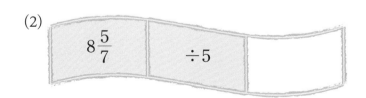

8 잘못 계산한 부분을 찾아 바르게 계산해 보세요.

$$\frac{5}{7} \div 4 = \frac{5}{7} \times 4 = \frac{20}{7} = 2\frac{6}{7}$$

바른 계산 _____

9 나눗셈의 몫을 비교하여 ○ 안에 >, =, <를 알맞게 써넣으세요.

$$3\frac{3}{5} \div 6 \bigcirc 2\frac{2}{5} \div 3$$

10 가장 큰 수를 가장 작은 수로 나눈 몫을 기약분수로 나타내어 보세요.

$$4 \qquad \frac{16}{3} \qquad 4\frac{1}{5}$$

(   )

11 식혜 $1\frac{1}{4}$ L를 크기가 같은 컵 3개에 똑같이 나누어 모두 담았습니다. 컵 한 개에 담은 식혜는 몇 L인지 식을 쓰고 답을 구해 보세요.

식 _____

답 _____

12 어떤 수에 3을 곱하면 $2\dfrac{4}{7}$가 됩니다. 어떤 수를 기약분수로 나타내어 보세요.

(   )

1
단원
평가

13 수 카드 3장을 한 번씩 모두 사용하여 계산 결과가 가장 큰 (가분수)÷(자연수)를 만들고 계산해 보세요.

$$\boxed{5}\ \boxed{6}\ \boxed{7} \rightarrow \dfrac{\square}{\square} \div \square$$

(   )

14 철사 $\dfrac{4}{5}$ m를 겹치지 않게 모두 사용하여 크기가 똑같은 정사각형 모양을 2개 만들었습니다. 이 정사각형의 한 변의 길이는 몇 m인지 기약분수로 나타내어 보세요.

(   )

15 밑변의 길이가 6 cm이고, 넓이가 $8\dfrac{3}{4}$ cm²인 평행사변형의 높이는 몇 cm인지 구해 보세요.

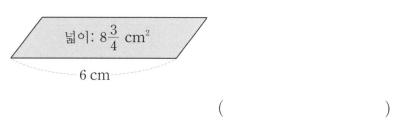

넓이: $8\dfrac{3}{4}$ cm²

6 cm

(   )

16 □ 안에 들어갈 수 있는 자연수를 모두 구해 보세요.

$$2\frac{5}{8} \div 4 < \boxed{} < 10\frac{3}{4} \div 3$$

(　　　　　　　　　　)

17 ▲$=7\frac{1}{5}$, ■$=9$일 때 다음 식의 값을 기약분수로 나타내어 보세요.

(　　　　　　　　　　)

18 $20\frac{2}{5}$ L들이 욕조에 물이 $13\frac{3}{4}$ L 들어 있습니다. 이 욕조에 물을 가득 채우려면 3 L들이 그릇으로 적어도 몇 번 부어야 하는지 구해 보세요.

(　　　　　　　　　　)

19 수직선에서 $\frac{1}{3}$과 $\frac{7}{9}$ 사이를 4등분 하였습니다. ㉠에 알맞은 수를 구해 보세요.

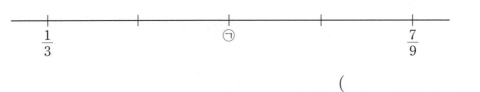

(　　　　　　　　　　)

정답과 풀이 p.12

1 다음은 참치 주먹밥 3인분과 야채 주먹밥 6인분을 만드는 데 필요한 재료의 양입니다. 두 종류의 주먹밥을 1인분씩 만드는 데 필요한 재료의 양을 각각 구해 표의 빈 칸에 써넣으세요.

1 단원
평가

3인분 재료의 양
〈참치 주먹밥〉
· 밥 $\frac{4}{5}$ kg
· 참치 200 g
· 다진 마늘 2 큰 술
· 깨소금 11 g

→

1인분 재료의 양	
밥	
참치	
다진 마늘	
깨소금	

6인분 재료의 양
〈야채 주먹밥〉
· 밥 $1\frac{3}{10}$ kg
· 당근 $2\frac{3}{4}$ 개
· 양파 1개
· 다진 파 5 큰 술
· 참기름 3 큰 술

→

1인분 재료의 양	
밥	
당근	
양파	
다진 파	
참기름	

2 각기둥과 각뿔

기둥 모양, 뿔 모양

생활 주변의 여러 건축물, 가전제품, 가구 등에서 다양한 기둥 모양, 뿔 모양의 입체도형을 찾아볼 수 있습니다.
아래의 석가탑과 피라미드 모양을 보고 어떤 입체도형을 찾아볼 수 있는지 알아볼까요?

⭐ 석가탑

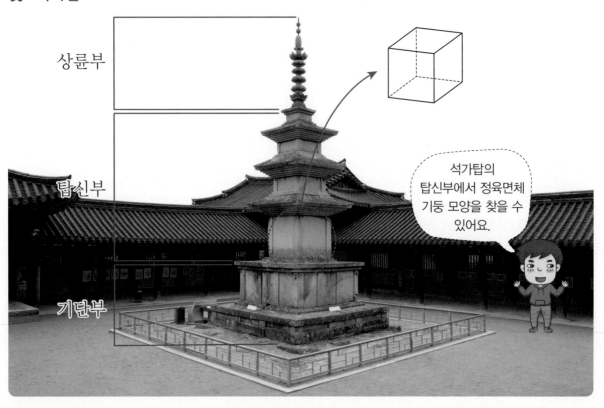

상륜부

탑신부

기단부

석가탑의 탑신부에서 정육면체 기둥 모양을 찾을 수 있어요.

⭐ 피라미드

▼ 출처 ©Waj, shutterstock

피라미드는 바닥이 사각형이고 4개의 삼각형으로 둘러싸인 뿔 모양 같이 생겼어요.

☆ 전개도

입체도형의 모서리를 잘라서 평면 위에 펼쳐 놓은 그림을 입체도형의 전개도라고 합니다.
전개도를 접었을 때 맞닿는 선분의 길이는 같아야 하고 겹치는 면이 없어야 합니다.
전개도는 어느 모서리를 자르는가에 따라 여러 가지 모양이 나올 수 있습니다.
전개도에서 잘린 모서리는 실선으로, 잘리지 않은 모서리는 점선으로 그립니다.

> 아래 문제에서 붙임딱지를 이용하여
> 전개도를 만들 때 실선과 점선을 구분하지
> 않고 붙임딱지를 붙여 나타내도록 해요.

준비물 ◀ 붙임딱지

다음은 석가탑 탑신부의 기둥 모양의 입체도형을 펼쳐 놓은 것입니다. 붙임딱지를 이용하여 석가탑 탑신부의 기둥과 같은 모양을 접을 수 있는 다른 전개도를 만들어 보세요.

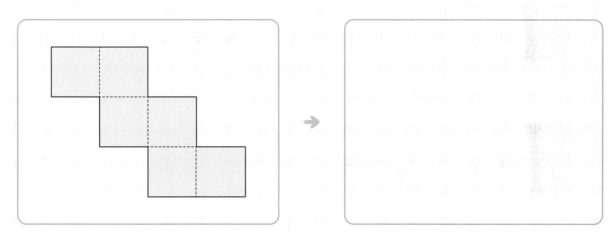

다음은 피라미드 모양의 입체도형을 펼쳐 놓은 것입니다. 붙임딱지를 이용하여 피라미드와 같은 모양을 접을 수 있는 다른 전개도를 만들어 보세요.

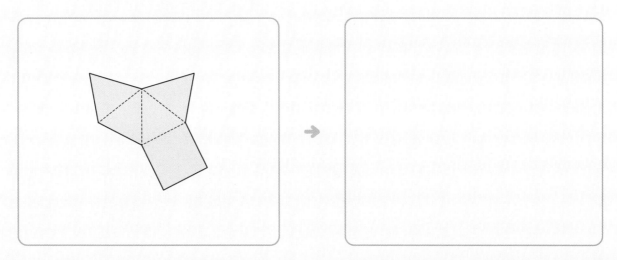

^{개념} **1** 각기둥 알아보기

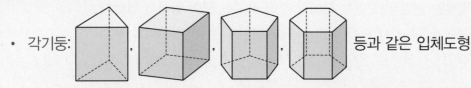

• 각기둥: , , , 등과 같은 입체도형

➔ 모든 면이 다각형이고, 서로 평행한 두 면이 합동인 입체도형

다각형이 아닌 면이 있으므로 각기둥이 아닙니다.

서로 평행한 두 면이 합동이 아니므로 각기둥이 아닙니다.

^{개념} **2** 각기둥의 밑면과 옆면

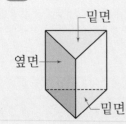

밑면

옆면

밑면

• 밑면: 서로 평행하고 합동인 두 면

➔ 나머지 면들과 모두 수직으로 만납니다.

• 옆면: 두 밑면과 만나는 면

➔ 모두 직사각형입니다.

입체도형의 겨냥도를 그릴 때 보이는 모서리는 실선으로, 보이지 않는 모서리는 점선으로 나타내요.

^예

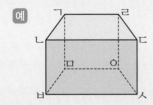

밑면	면 ㄱㄴㄷㄹ, 면 ㅁㅂㅅㅇ
옆면	면 ㄴㅂㅅㄷ, 면 ㄷㅅㅇㄹ, 면 ㄹㅇㅁㄱ, 면 ㄱㅁㅂㄴ

• 각기둥은 서로 평행한 두 면이 합동이고, 다각형으로 이루어진 입체도형입니다.
• 각기둥의 밑면은 항상 2개입니다.
• 각기둥의 옆면의 수는 한 밑면의 변의 수와 같습니다.

^{참고} 평면도형과 입체도형

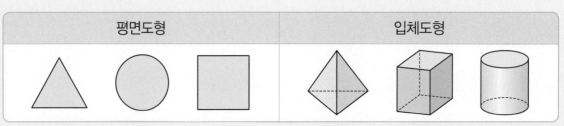

평면도형	입체도형

개념 확인 문제

1 서로 평행하고 합동인 두 다각형이 있는 입체도형을 모두 찾아 기호를 써 보세요.

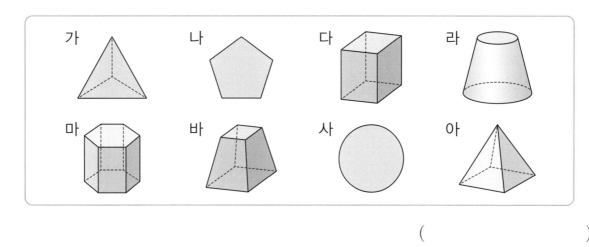

(   )

2-1 각기둥의 밑면을 모두 찾아 색칠해 보세요.

(1) 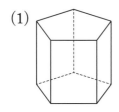 (2)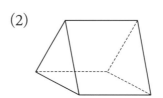

2-2 각기둥을 보고 물음에 답하세요.

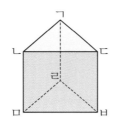

(1) 밑면을 모두 찾아 써 보세요.

_____

(2) 옆면을 모두 찾아 써 보세요.

_____

개념 **3**
 각기둥의 이름

- 각기둥은 밑면의 모양이 삼각형, 사각형, 오각형······일 때 삼각기둥, 사각기둥, 오각기둥······이라고 합니다.

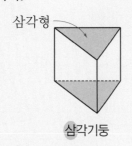
삼각형
삼각기둥

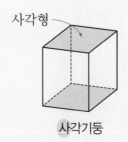
사각형
사각기둥

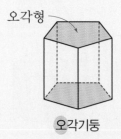
오각형
오각기둥

개념 **4**
 각기둥의 구성 요소

- 모서리: 면과 면이 만나는 선분
- 꼭짓점: 모서리와 모서리가 만나는 점
- 높이: 두 밑면 사이의 거리

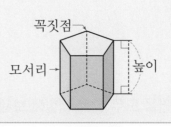
꼭짓점
모서리
높이

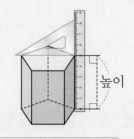
높이

각기둥의 높이를 재는 방법	옆면끼리 만나서 생긴 모서리의 길이를 잽니다.
	두 밑면의 대응점을 이은 선분의 길이를 잽니다.

- (각기둥의 꼭짓점의 수)＝(한 밑면의 변의 수)×2
- (각기둥의 면의 수)＝(한 밑면의 변의 수)＋2
- (각기둥의 모서리의 수)＝(한 밑면의 변의 수)×3

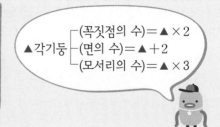
▲각기둥
- (꼭짓점의 수)＝▲×2
- (면의 수)＝▲＋2
- (모서리의 수)＝▲×3

각기둥	삼각기둥	사각기둥	오각기둥
밑면의 모양	삼각형	사각형	오각형
한 밑면의 변의 수(개)	3	4	5
꼭짓점의 수(개)	3×2＝6	4×2＝8	5×2＝10
면의 수(개)	3＋2＝5	4＋2＝6	5＋2＝7
모서리의 수(개)	3×3＝9	4×3＝12	5×3＝15

개념 확인 문제

3-1 맞으면 ○표, 틀리면 ×표 하세요.

각기둥은 옆면의 모양에 따라 이름이 정해집니다.

(   )

2단원 교과서

3-2 각기둥을 보고 표를 완성해 보세요.

각기둥		
밑면의 모양		
옆면의 모양		
각기둥의 이름		

4-1 각기둥의 높이를 잴 수 있는 모서리를 모두 찾아 ○표 하세요.

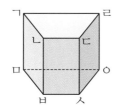

모서리 ㄷㄹ	모서리 ㄴㅂ	모서리 ㅂㅅ
모서리 ㄱㅁ	모서리 ㅁㅂ	모서리 ㄷㅅ

4-2 각기둥을 보고 표를 완성해 보세요.

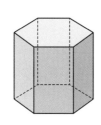

한 밑면의 변의 수(개)	
꼭짓점의 수(개)	
면의 수(개)	
모서리의 수(개)	

개념 **5** **각기둥의 전개도**

• 각기둥의 전개도: 각기둥의 모서리를 잘라서 평면 위에 펼쳐 놓은 그림

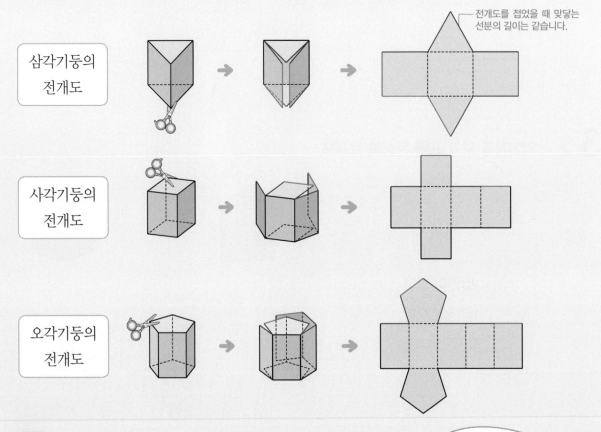

전개도를 접었을 때 맞닿는 선분의 길이는 같습니다.

삼각기둥의 전개도

사각기둥의 전개도

오각기둥의 전개도

참고

삼각기둥의 전개도 ➡ 밑면: 삼각형 **2**개, 옆면: 직사각형 **3**개

사각기둥의 전개도 ➡ 밑면: 사각형 **2**개, 옆면: 직사각형 **4**개

오각기둥의 전개도 ➡ 밑면: 오각형 **2**개, 옆면: 직사각형 **5**개

★각기둥의 전개도
⎡ 밑면: ★각형 2개
⎣ 옆면: 직사각형 ★개

개념 **6** **각기둥의 전개도 그리기**

각기둥의 전개도를 그릴 때에는 잘린 모서리는 실선으로, 잘리지 않은 모서리는 점선으로 그립니다.

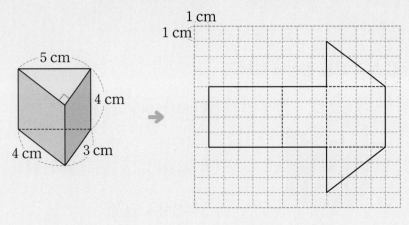

1 cm

1 cm

5 cm

4 cm

4 cm   3 cm

개념 확인 문제

5-1 그림과 같은 전개도를 접으면 어떤 도형이 될까요?

(1)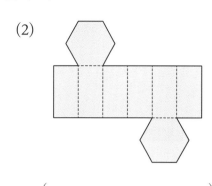

(   )

(2)

(   )

5-2 삼각기둥을 만들 수 있는 전개도에 ○표 하세요.

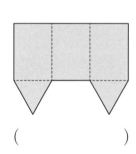

(   )

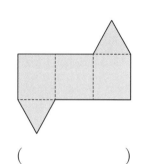

(   )

6 서로 다른 2가지 모양의 사각기둥 전개도를 그리려고 합니다. 전개도를 완성해 보세요.

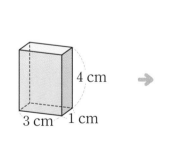

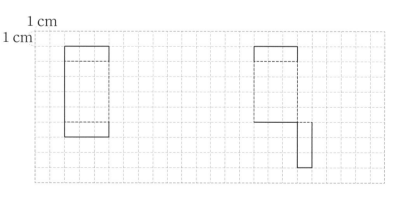

개념 **7** 각뿔 알아보기

• 각뿔: , , , 등과 같은 입체도형

➡ 바닥에 놓인 면이 다각형이고 옆으로 둘러싼 면이 모두 삼각형인 입체도형

개념 **8** 각뿔의 밑면과 옆면

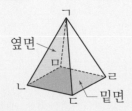

옆면

• 밑면: 각뿔에서 면 ㄴㄷㄹㅁ과 같은 면

• 옆면: 면 ㄱㄴㄷ, 면 ㄱㄷㄹ, 면 ㄱㄹㅁ, 면 ㄱㅁㄴ과 같이 밑면과 만나는 면

➡ 모두 삼각형입니다.

개념 **9** 각뿔의 이름과 구성 요소

• 각뿔은 밑면의 모양이 삼각형, 사각형, 오각형……일 때, 삼각뿔, 사각뿔, 오각뿔……이라고 합니다.

• 모서리: 면과 면이 만나는 선분

• 꼭짓점: 모서리와 모서리가 만나는 점

• 각뿔의 꼭짓점: 꼭짓점 중에서도 옆면이 모두 만나는 점

• 높이: 각뿔의 꼭짓점에서 밑면에 수직인 선분의 길이

각뿔의 꼭짓점

모서리

높이

꼭짓점

• (각뿔의 꼭짓점의 수)=(밑면의 변의 수)+1

• (각뿔의 면의 수)=(밑면의 변의 수)+1

• (각뿔의 모서리의 수)=(밑면의 변의 수)×2

▲각뿔 ─ (꼭짓점의 수)=▲+1
        ├ (면의 수)=▲+1
        └ (모서리의 수)=▲×2

각뿔	삼각뿔	사각뿔	오각뿔
밑면의 모양	삼각형	사각형	오각형
밑면의 변의 수(개)	3	4	5
꼭짓점의 수(개)	3+1=4	4+1=5	5+1=6
면의 수(개)	3+1=4	4+1=5	5+1=6
모서리의 수(개)	3×2=6	4×2=8	5×2=10

개념 확인 문제

7 입체도형을 보고 물음에 답하세요.

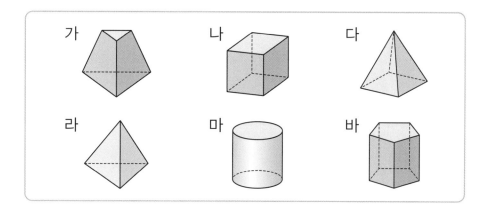

(1) 각기둥을 모두 찾아 기호를 써 보세요.

(   )

(2) 각뿔을 모두 찾아 기호를 써 보세요.

(   )

8 각뿔을 보고 □ 안에 각 부분의 이름을 써넣으세요.

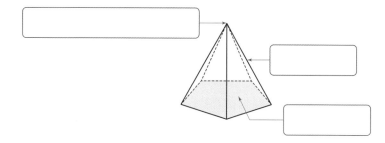

9 각뿔을 보고 표를 완성해 보세요.

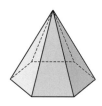

밑면의 변의 수(개)	
꼭짓점의 수(개)	
면의 수(개)	
모서리의 수(개)	

성을 탈출한 도형의 신분증 완성하기

위층에서 아래층으로 조건에 맞는 도형만 문을 통과하여 내려갈 수 있습니다.
문을 통과하여 내려간 도형을 각 층에 붙이고, 성을 탈출한 도형의 신분증에서
빈 곳에 알맞은 붙임딱지를 붙여 보세요.

준비물 붙임딱지

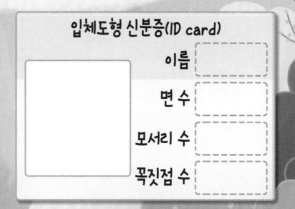

거울에 비친 보석 알기

준비물 ┃ 붙임딱지

이 방 안의 거울에는 각뿔 모양의 보석이 보여집니다. 거울에 알맞은 보석을 붙여 보세요.

꼭짓점이 6개인 보석을 보여 주렴.

면이 5개인 보석을 보고 싶어.

모서리가 6개인 보석을 보여 다오.

꼭짓점이 8개인 보석을 보여 주렴.

면이 7개인 보석을 보고 싶어.

모서리가 16개인 보석을 보여 다오.

이 방 안의 거울에는 각기둥 모양의 보석이 보여집니다. 거울에 알맞은 보석을 붙여 보세요.

개념 1 각기둥 알아보기

01 각기둥을 보고 물음에 답하세요.

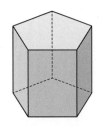

(1) 각기둥에서 두 밑면과 만나는 면은 모두 몇 개일까요?

(   )

(2) 각기둥에서 옆면의 모양은 어떤 도형일까요?

(   )

02 각기둥의 겨냥도를 완성해 보세요.

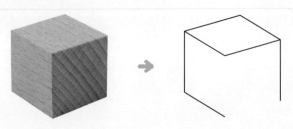

03 각기둥을 보고 밑면에 수직인 면은 몇 개인지 써 보세요.

(1)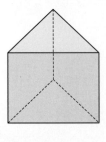

(   )

(2)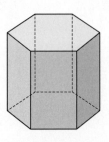

(   )

개념 2 각기둥의 구성 요소

04 각기둥의 높이는 몇 cm일까요?

(1)

5 cm
6 cm
4 cm

(   )

(2)

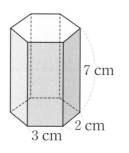

7 cm
2 cm
3 cm

(   )

05 각기둥의 겨냥도에서 모서리는 파란색으로, 꼭짓점은 빨간색으로 모두 표시해 보세요.

(1)

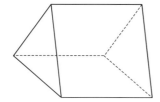

(2)

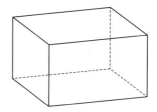

06 표를 완성해 보세요.

각기둥	면의 수(개)	꼭짓점의 수(개)	모서리의 수(개)
삼각기둥			
사각기둥			
오각기둥			

개념3 각기둥의 전개도

07 전개도를 접어서 각기둥을 만들었습니다. ☐ 안에 알맞은 수를 써넣으세요.

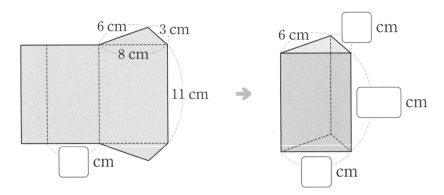

08 어떤 각기둥의 전개도에서 옆면만 나타낸 것입니다. 이 각기둥의 밑면의 모양을 찾아 기호를 써 보세요.

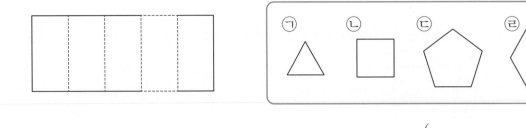

(   )

09 전개도를 보고 물음에 답하세요.

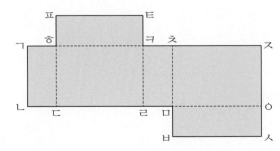

(1) 전개도를 접었을 때 점 ㅌ과 만나는 점을 찾아 써 보세요.

(   )

(2) 전개도를 접었을 때 선분 ㄷㄹ과 맞닿는 선분을 찾아 써 보세요.

(   )

개념 4 각기둥의 전개도 그리기

10 육각기둥의 겨냥도를 보고 육각기둥의 전개도를 완성해 보세요.

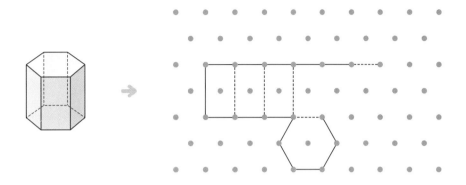

11 삼각기둥의 전개도를 그려 보세요.

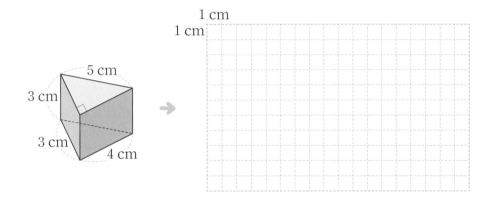

12 사각기둥의 전개도를 그려 보세요.

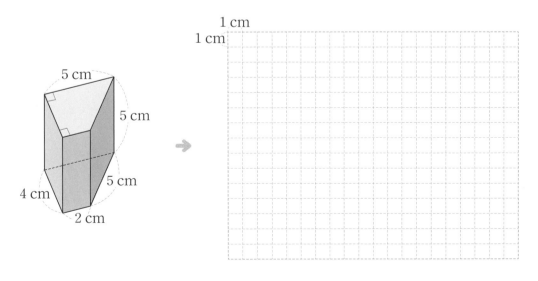

개념 5 각뿔 알아보기

13 각뿔을 보고 물음에 답하세요.

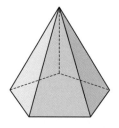

(1) 각뿔에서 밑면과 만나는 면을 무엇이라고 할까요?

(   )

(2) 각뿔에서 옆면의 모양은 어떤 도형일까요?

(   )

14 각뿔의 높이를 바르게 잰 것에 ○표 하세요.

   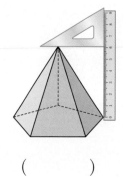   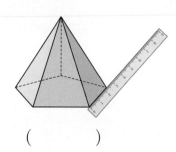

(   )   (   )   (   )

15 각뿔의 밑면의 모양, 이름, 옆면의 모양을 왼쪽부터 차례로 알맞게 선으로 이어 보세요.

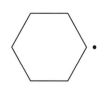
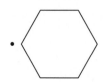

·   · 삼각뿔 ·   ·

·   · 육각뿔 ·   ·

·   · 사각뿔 ·   ·

개념 6 각뿔의 구성 요소

16 나무판에서 찾은 도형을 밑면으로 하는 각뿔이 있습니다. 이 각뿔의 면은 모두 몇 개일까요?

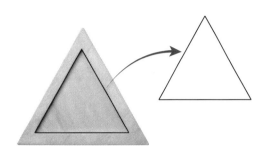

(   )

17 오른쪽과 같은 삼각형 8개를 옆면으로 하는 각뿔이 있습니다. 이 각뿔에서 꼭짓점은 모두 몇 개일까요?

(   )

18 표를 완성해 보세요.

각뿔의 밑면의 모양	⬛	⬠	⬡
각뿔의 이름			
꼭짓점의 수(개)			
면의 수(개)			
모서리의 수(개)			

★ 각기둥과 각뿔 비교하기

1 두 학생이 가리키는 입체도형의 같은 점을 모두 찾아 기호를 써 보세요.

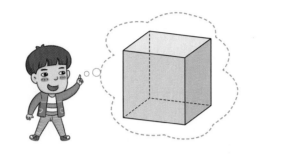 

| ㉠ 밑면의 모양 | ㉡ 밑면의 수 | ㉢ 옆면의 모양 | ㉣ 옆면의 수 |

 _____

개념
피드백
① 각기둥에서 서로 평행하고 합동인 두 면이 밑면이고, 옆면은 밑면과 만나는 면입니다.
② 각뿔을 놓았을 때 바닥에 놓인 면은 밑면이고, 옆면은 밑면과 만나는 면입니다.

1-1 입체도형의 밑면과 옆면의 모양의 이름을 각각 써넣으세요.

도형	밑면의 모양	옆면의 모양
육각기둥		
칠각뿔		

1-2 다음 설명 중 옳지 <u>않은</u> 것을 모두 찾아 기호를 써 보세요.

㉠ 각뿔의 밑면은 1개, 각기둥의 밑면은 2개입니다.
㉡ 각뿔의 밑면과 옆면은 수직으로 만납니다.
㉢ 각기둥에서 옆면끼리 만나서 생긴 모서리의 길이는 높이입니다.
㉣ 각기둥의 옆면은 정사각형입니다.

(   )

★ **각기둥의 전개도 찾기**

2 사각기둥의 전개도가 될 수 <u>없는</u> 것을 찾아 기호를 써 보세요.

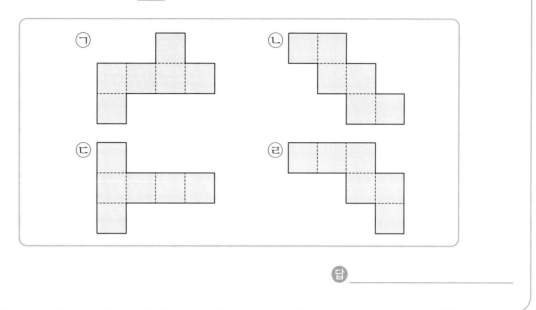

답 _____

① ▨각기둥의 전개도는 밑면인 ▨각형이 2개, 옆면인 직사각형이 ▨개입니다.
② 전개도를 접었을 때 겹치는 면이 없는지, 부족한 면이 없는지 확인합니다.

2-1 접었을 때 각기둥이 되는 전개도에 ○표 하세요.

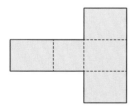   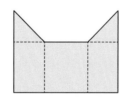   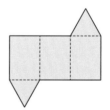

2-2 접었을 때 오각기둥이 되는 전개도에 ○표 하세요.

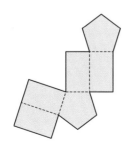   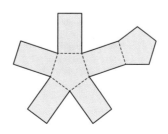   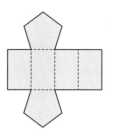

★ 전개도에서 선분의 길이 구하기

3 다음은 삼각기둥의 전개도입니다. 선분 ㅈㅊ의 길이는 몇 cm일까요?

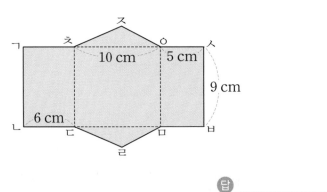

답 _____

개념
피드백
① 전개도를 접었을 때 맞닿는 선분을 알아봅니다.
② 전개도를 접었을 때 맞닿는 선분의 길이는 같습니다.

3-1 다음은 사각기둥의 전개도입니다. 선분 ㅅㅇ의 길이는 몇 cm일까요?

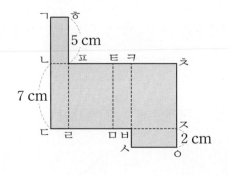

( )

3-2 삼각기둥의 전개도에서 선분 ㄴㅇ의 길이는 몇 cm일까요?

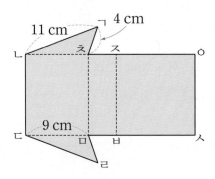

( )

★ 꼭짓점, 면, 모서리의 수 구하기

4 수가 가장 많은 것을 말한 사람의 이름을 써 보세요.

오각기둥의
꼭짓점의 수

강호

팔각뿔의
면의 수

서희

사각기둥의
모서리의 수

예지

답 _____

개념 피드백
① 각기둥에서 (꼭짓점의 수)=(한 밑면의 변의 수)×2, (모서리의 수)=(한 밑면의 변의 수)×3입니다.
② 각뿔에서 (면의 수)=(밑면의 변의 수)+1입니다.

4-1 수를 비교하여 ○ 안에 >, =, <를 알맞게 써넣으세요.

(1) | 오각뿔의 모서리의 수 | ○ | 사각기둥의 꼭짓점의 수 |

(2) | 구각기둥의 면의 수 | ○ | 십각뿔의 면의 수 |

4-2 수가 적은 것부터 차례로 기호를 써 보세요.

ㄱ 육각뿔의 꼭짓점의 수   ㄴ 삼각기둥의 모서리의 수
ㄷ 십이각뿔의 면의 수   ㄹ 칠각기둥의 꼭짓점의 수

( )

★ 전개도의 둘레의 길이 구하기

5 삼각기둥의 전개도를 그린 것입니다. 이 전개도의 둘레의 길이는 몇 cm일까요?

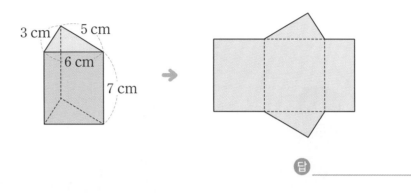

(답) _____

① 전개도를 접었을 때 맞닿는 선분의 길이는 같습니다.
② 전개도의 둘레의 길이는 전개도에서 실선으로 된 선분의 길이를 모두 더해서 구합니다.

5-1 각 모서리의 길이가 4 cm로 모두 같은 사각기둥의 전개도입니다. 이 전개도의 둘레의 길이는 몇 cm일까요?

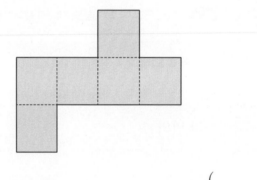

(_____)

5-2 밑면이 정오각형인 각기둥의 전개도입니다. 이 전개도의 둘레의 길이는 몇 cm일까요?

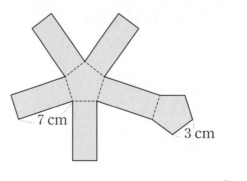

(_____)

★ 각기둥과 각뿔의 이름 알아보기

6 모서리가 12개로 같은 각기둥과 각뿔의 이름을 각각 써 보세요.

각기둥의 이름 (   )

각뿔의 이름 (   )

개념 피드백 ① 각기둥에서 (모서리의 수)=(한 밑면의 변의 수)×3입니다.
② 각뿔에서 (모서리의 수)=(밑면의 변의 수)×2입니다.

6-1 면이 8개인 각뿔의 이름을 써 보세요.

(   )

6-2 꼭짓점이 18개인 각기둥의 이름을 써 보세요.

(   )

6-3 면이 6개로 같은 각기둥과 각뿔의 이름과 모서리의 수를 써 보세요.

	이름	모서리의 수(개)
각기둥		
각뿔		

 밑면의 모양이 오른쪽과 같은 각기둥의 모서리는 모두 몇 개인지 구해 보세요.

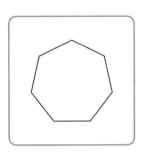

해결하기 밑면의 모양이 ◻ 이므로 각기둥의 한 밑면의 변은 ◻ 개입니다.

따라서 (각기둥의 모서리의 수)＝(한 밑면의 변의 수)× ◻ 이므로

각기둥의 모서리는 모두 ◻ × ◻ ＝ ◻ (개입니다.

답 구하기 ◻

 밑면의 모양이 한과를 담은 그릇과 같은 각기둥의 꼭짓점은 모두 몇 개인지 구해 보세요.

해결하기 _____

_____

_____

_____

답 구하기 _____

3 다음 입체도형이 각기둥이 <u>아닌</u> 이유를 2가지 써 보세요.

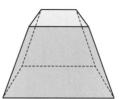

해결하기 첫째, 각기둥은 서로 평행한 두 면이 ☐ 입니다. 주어진 입체도형은 서로 평행한

두 면이 ☐ 이 아니므로 각기둥이 아닙니다.

둘째, 각기둥의 옆면은 모두 ☐ 입니다. 주어진 입체도형은 옆면이

☐ 이 아니므로 각기둥이 아닙니다.

 4 다음 입체도형이 각뿔이 <u>아닌</u> 이유를 2가지 써 보세요.

각뿔에서
밑면과 옆면의 모양을
각각 생각해 봐.

해결하기

각기둥과 각뿔의 전개도와 겨냥도에 맞는 붙임딱지를 붙이고, 빈 곳을 채워 문제를 풀어 보세요.

주어진 직사각형 4개로 옆면이 이루어진 입체도형의 모든 모서리의 길이의 합을 구해 보세요.

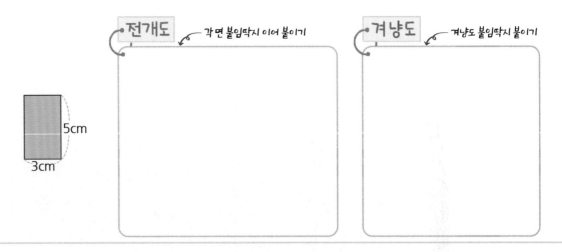

전개도 〜 각 면 붙임딱지 이어 붙이기

겨냥도 〜 겨냥도 붙임딱지 붙이기

5cm
3cm

옆면이 4개이고 모두 직사각형이므로 입체도형의 이름은 [ ]입니다.

따라서 5 cm인 모서리는 [ ]개, 3 cm인 모서리는 [ ]개이므로 모든 모서리의

길이의 합은 5 × [ ] + 3 × [ ] = [ ] + [ ] = [ ] (cm)입니다.

주어진 직사각형 5개로 옆면이 이루어진 입체도형의 모든 모서리의 길이의 합을 구해 보세요.

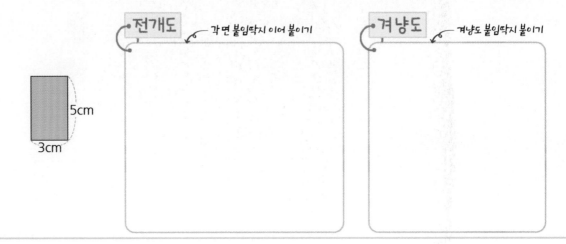

전개도 〜 각 면 붙임딱지 이어 붙이기

겨냥도 〜 겨냥도 붙임딱지 붙이기

5cm
3cm

위의 풀이와 같이 써 보세요.

주어진 이등변삼각형 3개로 옆면이 이루어진 입체도형의 모든 모서리의 길이의 합을 구해 보세요.

2 단원 사고력

5cm

3cm

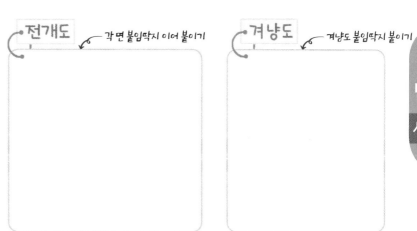

전개도 — 각 면 붙임딱지 이어 붙이기

겨냥도 — 겨냥도 붙임딱지 붙이기

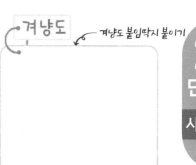

옆면이 3개이고 모두 삼각형이므로 입체도형의 이름은 [ ] 입니다.

따라서 5 cm인 모서리는 [ ]개, 3 cm인 모서리는 [ ]개이므로 모든 모서리의

길이의 합은 5 × [ ] + 3 × [ ] = [ ] + [ ] = [ ] (cm)입니다.

주어진 이등변삼각형 4개로 옆면이 이루어진 입체도형의 모든 모서리의 길이의 합을 구해 보세요.

5cm

3cm

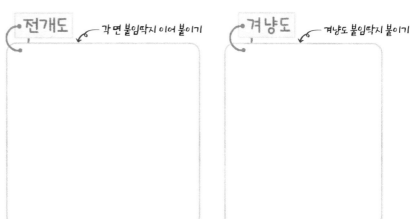

전개도 — 각 면 붙임딱지 이어 붙이기

겨냥도 — 겨냥도 붙임딱지 붙이기

위의 풀이와 같이 써 보세요.

준비물 붙임딱지

전개도를 접었을 때 서로 마주 보는 면끼리 같은 색이 되게 점선으로 표시된 칸에 붙임딱지를 붙여
사각기둥의 전개도를 완성하고, 파란색으로 표시한 선분과 만나는 선분에 빨간색으로 표시해 보세요.

1 선생님이 종이에 그린 입체도형의 면은 모두 몇 개인지 구해 보세요.

❶ 알맞은 도형에 ◯표 하세요.

> 현수와 재영이가 말한 특징을 모두 만족하는 입체도형은 (각기둥 , 각뿔)입니다.

❷ ❶에서 선택한 입체도형에 맞게 표의 빈칸에 알맞은 식을 써넣으세요.

한 밑면의 변의 수(개)	모서리의 수(개)	꼭짓점의 수(개)
●		

❸ ❷를 이용하여 민경이가 말한 특징을 만족하는 식을 쓰고 ●를 구해 보세요.

식 _____

답 _____

❹ 입체도형의 이름은 무엇일까요?

(   )

❺ 입체도형의 면은 모두 몇 개일까요?

(   )

2 밑면과 옆면의 모양이 그림과 같은 입체도형의 모든 모서리의 길이의 합을 구해 보세요.

밑면
5 cm
5 cm

옆면
7 cm
5 cm

1 알맞은 도형에 ◯표 하고 ☐ 안에 알맞은 말을 써넣으세요.

밑면이 다각형이고 옆면이 직사각형인 입체도형은 (각기둥 , 각뿔)입니다.

따라서 입체도형의 이름은 ☐입니다.

2 ☐ 안에 알맞은 수를 써넣으세요.

입체도형에서 길이가 5 cm인 모서리는 ☐개, 7 cm인 모서리는 ☐개입니다.

3 입체도형의 모든 모서리의 길이의 합은 몇 cm일까요?

( )

3 밑면과 옆면의 모양이 그림과 같은 입체도형의 모든 모서리의 길이의 합은 몇 cm일까요?

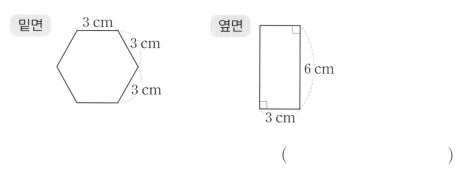

밑면
3 cm
3 cm
3 cm

옆면
6 cm
3 cm

( )

4 윤하가 말한 세 조건을 만족하는 입체도형의 모서리는 모두 몇 개인지 구해 보세요.

윤하

첫째, 밑면은 다각형입니다.
둘째, 옆면은 모두 삼각형입니다.
셋째, 면의 수와 꼭짓점의 수의 합은 14입니다.

1 알맞은 도형에 ○표 하세요.

첫째와 둘째 조건을 모두 만족하는 입체도형은 (각기둥 , 각뿔)입니다.

2 **1**에서 선택한 입체도형에 맞게 표의 빈칸에 알맞은 식을 써넣으세요.

밑면의 변의 수(개)	면의 수(개)	꼭짓점의 수(개)
▲		

3 **2**를 이용하여 셋째 조건을 만족하는 식을 쓰고 ▲를 구해 보세요.

식 _____

답 _____

4 입체도형의 이름은 무엇일까요?

(   )

5 입체도형의 모서리는 모두 몇 개일까요?

(   )

5 사각기둥의 전개도에서 면 ㄹㅁㅂㅋ의 넓이가 $28\,cm^2$, 면 ㄴㄷㄹㅍ의 넓이가 $56\,cm^2$입니다. 이 전개도의 둘레의 길이를 구해 보세요.

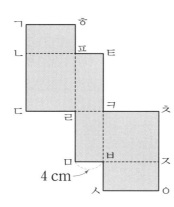

① 선분 ㄹㅁ의 길이를 구해 보세요.

(   )

② 선분 ㄷㄹ의 길이를 구해 보세요.

(   )

③ 선분 ㄴㄷ의 길이를 구해 보세요.

(   )

④ 사각기둥 전개도의 둘레의 길이를 구해 보세요.

(   )

1 그림과 같이 각기둥을 평면으로 잘랐을 때 생긴 두 입체도형의 겨냥도를 각각 그리고 입체도형의 이름을 써 보세요.

1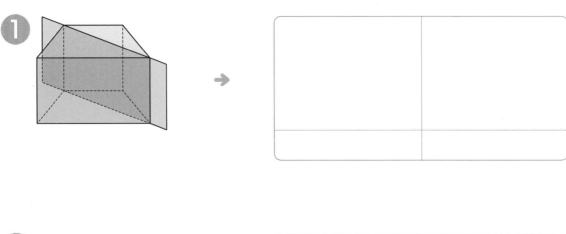

2

3

4

2 사각기둥에 그림과 같이 선을 그었습니다. 사각기둥의 전개도에 선이 지나간 자리를 그려 보세요.

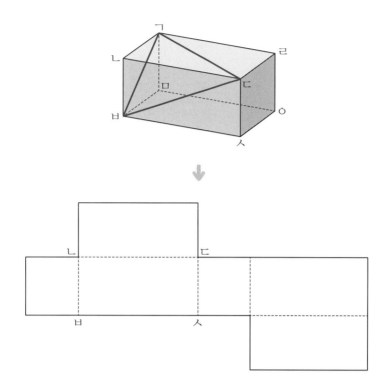

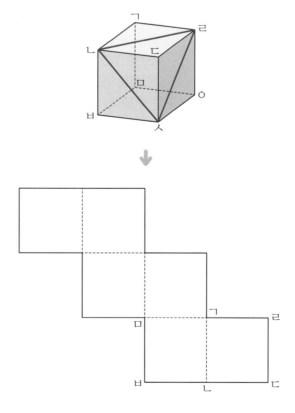

3 강호와 서희가 각각 사진 속 건물의 모양을 보고 입체도형을 만든 것입니다. 강호와 서희의 설명을 읽고 질문에 맞는 답을 구해 보세요.

강호

두 입체도형을 붙여서 시계탑 모양처럼 만들었어요.
이 입체도형의 모서리의 수와 면의 수의 차는 얼마일까요?

 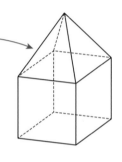

▲ 빅 벤 시계탑(영국 런던)

(   )

서희

루브르 박물관의 피라미드 모양과 같은
입체도형을 2개 붙여서 만들었어요.
이 입체도형의 모서리의 수와 면의 수의 합은 얼마일까요?

 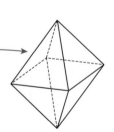

▲ 루브르 박물관(프랑스 파리)

(   )

4 보기와 같이 꼭짓점을 고무찰흙으로, 모서리를 막대로 나타내어 입체도형을 만들려고 합니다. 주어진 재료를 남김없이 모두 사용하여 만들 수 있는 각기둥 또는 각뿔을 그려 보세요.

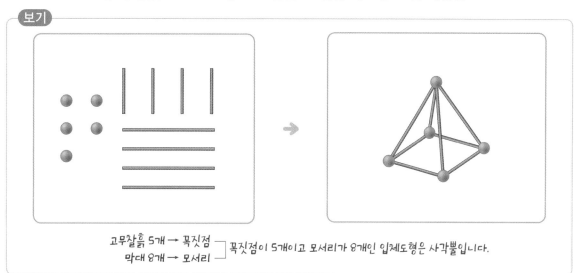

고무찰흙 5개 → 꼭짓점
막대 8개 → 모서리 — 꼭짓점이 5개이고 모서리가 8개인 입체도형은 사각뿔입니다.

①

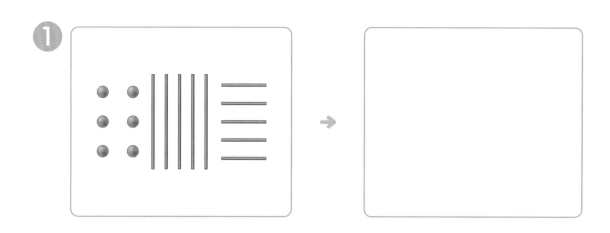

②

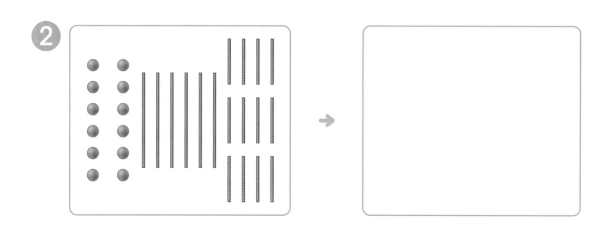

평가 영역 ☐ 개념 이해력 ☑ 개념 응용력 ☐ 창의력 ☐ 문제 해결력

1 꼭짓점을 고무찰흙으로, 모서리를 막대로 나타내어 각기둥을 만들려고 합니다. 규칙적으로 늘어놓은 각기둥의 꼭짓점의 수만큼 고무찰흙을 차례로 나타낸 것입니다. 7번째 각기둥의 모서리는 모두 몇 개인지 구해 보세요.

1번째 2번째 3번째 4번째 ......

(   )

평가 영역 ☐ 개념 이해력 ☑ 개념 응용력 ☐ 창의력 ☐ 문제 해결력

2 꼭짓점을 고무찰흙으로, 모서리를 막대로 나타내어 각뿔을 만들려고 합니다. 규칙적으로 늘어놓은 각뿔의 꼭짓점의 수만큼 고무찰흙을 차례로 나타낸 것입니다. 8번째 각뿔의 모서리는 모두 몇 개인지 구해 보세요.

1번째 2번째 3번째 4번째 ......

(   )

3 다음 직사각형은 옆면이 모두 3개인 어떤 각기둥의 옆면을 모두 나타낸 것입니다. 이 각기둥의 전개도를 모눈종이에 그리고, 전개도만큼을 잘라 냈을 때 남는 모눈종이의 넓이를 구해 보세요. (단, 각기둥의 밑면은 직각삼각형입니다.)

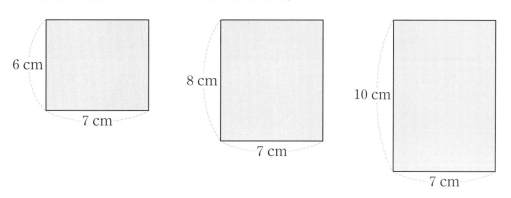

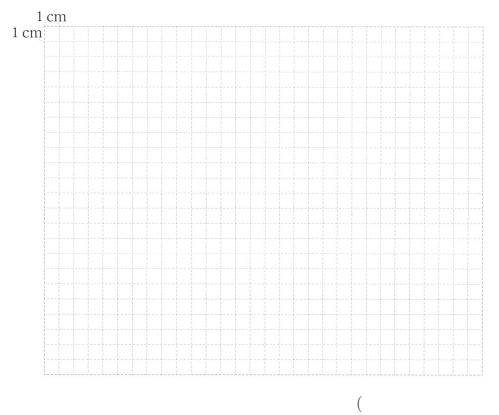

(   )

종합평가

2. 각기둥과 각뿔

맞은 개수

1 도형을 보고 각기둥과 각뿔을 모두 찾아 기호를 써넣으세요.

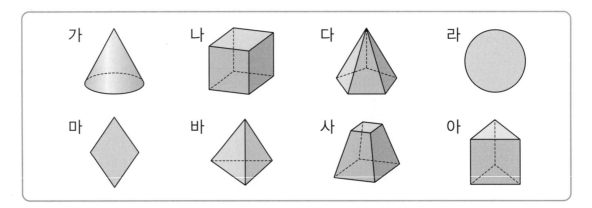

가　나　다　라

마　바　사　아

각기둥	각뿔

2 ☐ 안에 각 부분의 이름을 알맞게 써넣으세요.

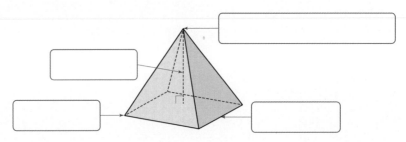

3 그림을 보고 ☐ 안에 알맞은 각기둥의 이름을 써넣어 설명을 완성하세요.

☐ 모양의 카스텔라를 ☐ 모양 2개로 자른 것입니다.

4 각기둥의 전개도를 보고 물음에 답하세요.

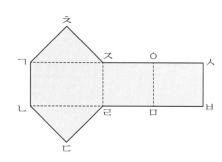

(1) 전개도를 접었을 때 면 ㄱㅈㅊ과 수직으로 만나는 면은 모두 몇 개일까요?

(   )

(2) 전개도를 접었을 때 선분 ㅇㅅ과 맞닿는 선분을 찾아 써 보세요.

(   )

5 각기둥의 전개도를 그려 보세요.

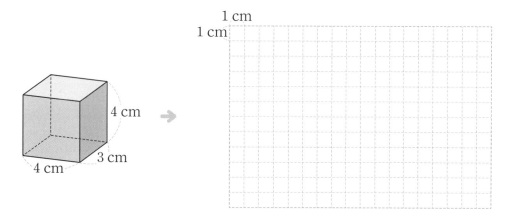

6 수가 많은 것부터 순서대로 기호를 써 보세요.

> ㉠ 육각뿔의 꼭짓점의 수
> ㉡ 사각기둥의 모서리의 수
> ㉢ 구각기둥의 면의 수

(   )

7 다음 입체도형은 각기둥이 아닙니다. 그 이유를 써 보세요.

이유 _____

_____

8 사각기둥의 전개도를 접었을 때 면 나와 평행한 면을 찾아 써 보세요.

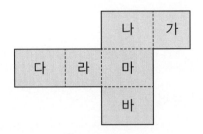

(   )

9 밑면의 모양이 다음과 같은 각기둥의 꼭짓점은 모두 몇 개일까요?

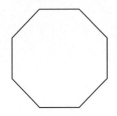

(   )

10 밑면의 변의 수의 합이 12인 각기둥의 이름을 써 보세요.

(   )

11 오각기둥과 오각뿔의 공통점을 찾아 기호를 써 보세요.

> ㉠ 옆면의 모양 ㉡ 밑면의 수 ㉢ 모서리의 수 ㉣ 밑면의 모양

( )

12 어떤 각기둥의 전개도에서 옆면만 나타낸 것입니다. 이 각기둥의 밑면의 모양은 어떤 도형일까요?

( )

13 밑면의 모양이 오른쪽 볼트의 모양과 같은 각뿔의 모서리는 몇 개일까요?

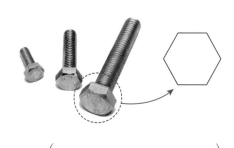

( )

14 옆면의 모양이 오른쪽과 같은 이등변삼각형 4개로 이루어진 각뿔이 있습니다. 이 각뿔의 모든 모서리의 길이의 합은 몇 cm일까요?

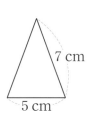

7 cm

5 cm

( )

15 삼각기둥의 전개도가 <u>아닌</u> 것을 찾아 기호를 쓰고 그 이유를 써 보세요.

가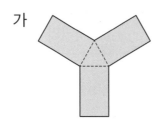

나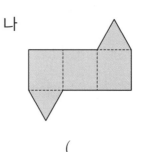

(   )

이유 _____

_____

16 사각기둥의 전개도입니다. 전개도의 둘레는 몇 cm일까요?

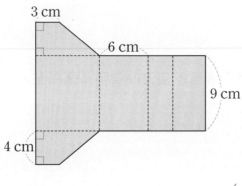

(   )

17 어떤 각뿔의 꼭짓점의 수와 모서리의 수를 더하였더니 16이었습니다. 이 각뿔의 면은 몇 개일까요?

(   )

1 각기둥의 밑면과 같거나 가장 비슷한 모양의 교통 표지판을 찾아 선으로 이어 보세요.

모서리가 9개인 각기둥	면이 7개인 각기둥	꼭짓점이 16개인 각기둥

진입금지

도로공사중

일시정지

2 사다리를 타고 내려 가서 도착하는 곳에 설명에 맞는 각뿔의 겨냥도를 그려 보세요.

밑면의 변이 5개인 각뿔	면이 5개인 각뿔	모서리가 12개인 각뿔	꼭짓점이 4개인 각뿔

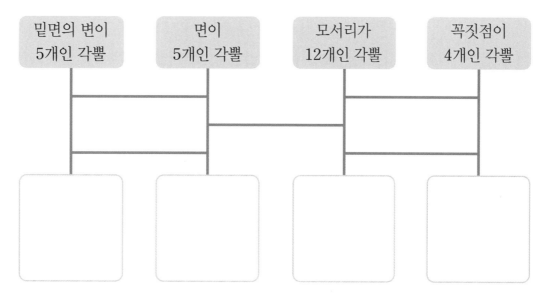

Memo

14~15쪽

$\dfrac{5}{6} \times \dfrac{1}{3}$　$\dfrac{6}{5} \times \dfrac{1}{3}$　$\dfrac{7}{8} \times \dfrac{1}{4}$

$\dfrac{8}{7} \times \dfrac{1}{4}$　$\dfrac{13}{7} \times \dfrac{1}{6}$　$\dfrac{7}{13} \times \dfrac{1}{6}$　$\dfrac{9}{7} \times \dfrac{1}{2}$

$\dfrac{7}{9} \times \dfrac{1}{2}$　$\dfrac{7}{2} \times \dfrac{1}{8}$　$\dfrac{2}{7} \times \dfrac{1}{8}$　$\dfrac{14}{5} \times \dfrac{1}{9}$

$\dfrac{5}{14} \times \dfrac{1}{9}$　$\dfrac{5}{18}$　$\dfrac{6}{15}$　$\dfrac{7}{32}$

$\dfrac{8}{28}$　$\dfrac{13}{42}$　$\dfrac{7}{78}$　$\dfrac{9}{14}$

$\dfrac{7}{18}$　$\dfrac{7}{16}$　$\dfrac{2}{56}$　$\dfrac{14}{45}$

16~17쪽

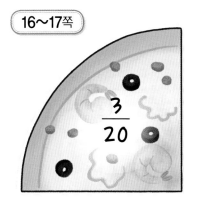 $\dfrac{3}{20}$
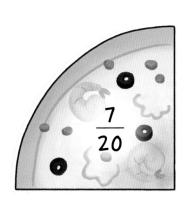 $\dfrac{7}{20}$
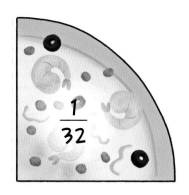 $\dfrac{1}{32}$

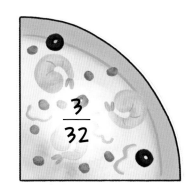 $\dfrac{3}{32}$
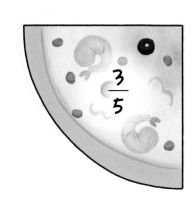 $\dfrac{3}{5}$
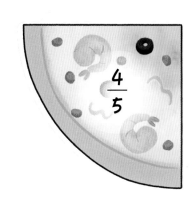 $\dfrac{4}{5}$

자르는 선

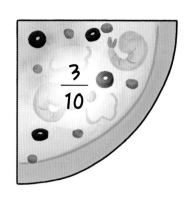
$\dfrac{3}{10}$

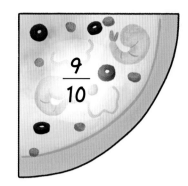
$\dfrac{9}{10}$

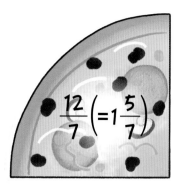
$\dfrac{12}{7}\left(=1\dfrac{5}{7}\right)$

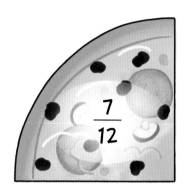
$\dfrac{7}{12}$

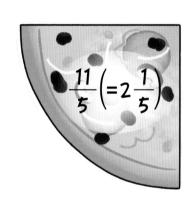
$\dfrac{14}{9}\left(=1\dfrac{5}{9}\right)$

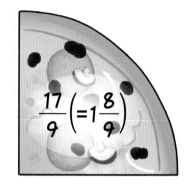
$\dfrac{17}{9}\left(=1\dfrac{8}{9}\right)$

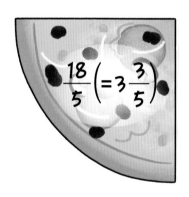
$\dfrac{18}{5}\left(=3\dfrac{3}{5}\right)$

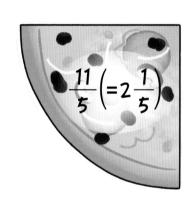
$\dfrac{11}{5}\left(=2\dfrac{1}{5}\right)$

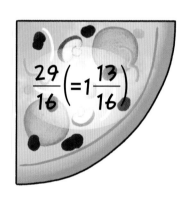
$\dfrac{29}{16}\left(=1\dfrac{13}{16}\right)$

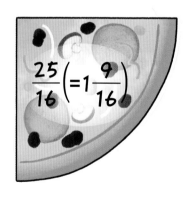
$\dfrac{25}{16}\left(=1\dfrac{9}{16}\right)$

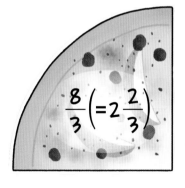
$\dfrac{8}{3}\left(=2\dfrac{2}{3}\right)$

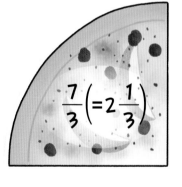
$\dfrac{7}{3}\left(=2\dfrac{1}{3}\right)$

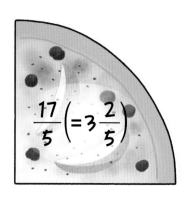
$\dfrac{17}{5}\left(=3\dfrac{2}{5}\right)$

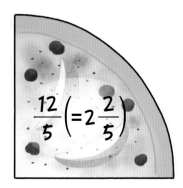
$\dfrac{12}{5}\left(=2\dfrac{2}{5}\right)$

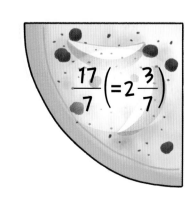
$\dfrac{17}{7}\left(=2\dfrac{3}{7}\right)$

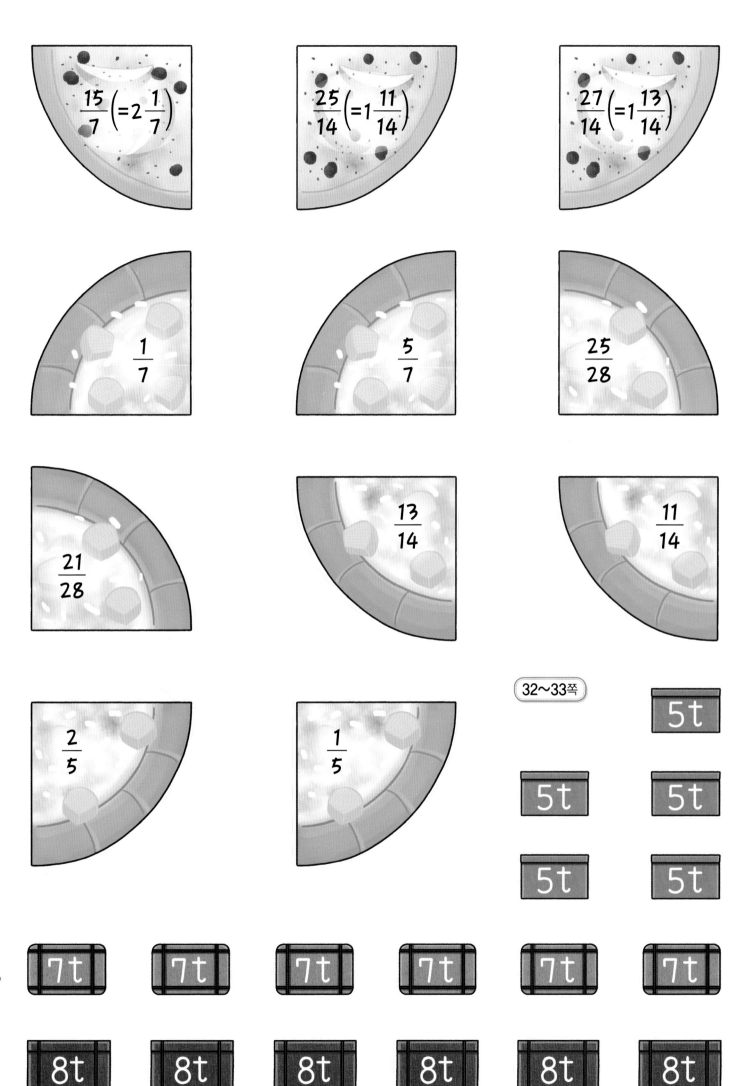

32~33쪽

① 분수의 나눗셈

똑같이 나누기

알라딘은 요술 램프를 구하기 위해 동굴에 들어갔다 그만 동굴 속에 갇혔습니다. 동굴 문은 3일 후에 또는 4일 후에 다시 열린다는 메시지를 보고 알라딘은 3일 또는 4일 동안 어떻게 동굴 안에 있을지 고민하였습니다. 알라딘이 가지고 있는 식량을 어떻게 나누어 먹어야 하는지 알아볼까요?

〈알라딘의 식량〉

물 한 통   치즈 2덩이

➡ 3일 또는 4일 동안 물 한 통과 치즈 2덩이를 각각 똑같이 나누어 먹을 수 있게 식량을 나누어야 합니다.

식량을 3일 동안 똑같이 나누어 먹는다면 하루 동안 얼마만큼 먹을 수 있는지 알아보려고 합니다. 각각의 식량을 3등분한 후 하루 동안 먹는 양만큼 빗금을 그어 보세요.

↓

〈하루 동안 먹는 양〉

식량을 4일 동안 똑같이 나누어 먹는다면 하루 동안 얼마만큼 먹을 수 있는지 알아보려고 합니다. 각각의 식량을 4등분한 후 하루 동안 먹는 양만큼 빗금을 그어 보세요.

↓

〈하루 동안 먹는 양〉

1단계 교과서 개념 잡기

개념확인 문제

정답과 풀이 p.1

개념 1 몫이 1보다 작은 (자연수)÷(자연수)의 몫을 분수로 나타내기

예 1÷3의 몫을 분수로 나타내기

1÷3의 몫은 1을 3등분한 것 중의 하나이므로 $\frac{1}{3}$입니다.

1÷(자연수)의 몫은 1을 분자, 나누는 수를 분모로 하는 분수로 나타낼 수 있습니다.

$1÷■=\frac{1}{■}$

예 2÷3의 몫을 분수로 나타내기

1÷3은 $\frac{1}{3}$이고 2÷3은 $\frac{1}{3}$이 2개이므로 $\frac{2}{3}$입니다.

(자연수)÷(자연수)의 몫은 나누어지는 수를 분자, 나누는 수를 분모로 하는 분수로 나타낼 수 있습니다.

$▲÷■=\frac{▲}{■}$

개념 2 몫이 1보다 큰 (자연수)÷(자연수)의 몫을 분수로 나타내기

예 3÷2의 몫을 분수로 나타내기

3÷2=1…1입니다. 나머지 1을 다시 2로 나누면 $\frac{1}{2}$이므로 3÷2의 몫은 $1\frac{1}{2}$입니다.

➡ $3÷2=1\frac{1}{2}=\frac{3}{2}$

1÷2=$\frac{1}{2}$이고 3÷2는 $\frac{1}{2}$이 3개이므로 $\frac{3}{2}$입니다. ➡ $3÷2=\frac{3}{2}=1\frac{1}{2}$

1-1 1÷4를 그림으로 나타내고, 몫을 구해 보세요.

예

($\frac{1}{4}$)

❖ 1÷4의 몫은 1을 4등분한 것 중의 하나이므로 $\frac{1}{4}$입니다.

1-2 나눗셈의 몫을 분수로 나타내어 보세요.

(1) $1÷9=\frac{1}{9}$ (2) $3÷5=\frac{3}{5}$

(3) $2÷7=\frac{2}{7}$ (4) $8÷11=\frac{8}{11}$

❖ $1÷●=\frac{1}{●}$, $▲÷●=\frac{▲}{●}$

2-1 4÷3의 몫을 분수로 나타내는 과정입니다. □ 안에 알맞은 수를 써넣으세요.

$1÷3=\frac{1}{\boxed{3}}$입니다.

4÷3은 $\frac{1}{3}$이 $\boxed{4}$개입니다.

따라서 $4÷3=\frac{\boxed{4}}{3}=1\frac{\boxed{1}}{3}$입니다.

2-2 나눗셈의 몫을 분수로 나타내어 보세요.

(1) $11÷7=\frac{11}{7}\left(=1\frac{4}{7}\right)$ (2) $9÷4=\frac{9}{4}\left(=2\frac{1}{4}\right)$

(3) $5÷3=\frac{5}{3}\left(=1\frac{2}{3}\right)$ (4) $10÷9=\frac{10}{9}\left(=1\frac{1}{9}\right)$

❖ $▲÷●=\frac{▲}{●}$

1단계 교과서 개념 잡기

개념 3 분자가 자연수의 배수인 (분수)÷(자연수) 알아보기

$\frac{6}{7} \div 2$의 계산 → 6은 2가 3번 더해진 수입니다.

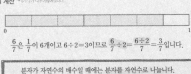

$\frac{6}{7}$은 $\frac{1}{7}$이 6개이고 6÷2=3이므로 $\frac{6}{7} \div 2 = \frac{6 \div 2}{7} = \frac{3}{7}$입니다.

> 분자가 자연수의 배수일 때에는 분자를 자연수로 나눕니다.

개념 4 분자가 자연수의 배수가 아닌 (분수)÷(자연수) 알아보기

$\frac{3}{5} \div 2$의 계산 → 3은 2가 나누어떨어지지 않습니다.

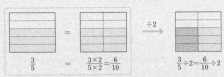

$$\frac{3}{5} = \frac{3 \times 2}{5 \times 2} = \frac{6}{10}, \frac{6}{10}은 \frac{1}{10}이 6개이고, 6 \div 2 = 3이므로$$

$$\frac{3}{5} \div 2 = \frac{6}{10} \div 2 = \frac{6 \div 2}{10} = \frac{3}{10}입니다.$$

> 분자가 자연수의 배수가 아닐 때에는 크기가 같은 분수 중에 분자가 자연수의 배수인 수로 바꾸어 계산합니다.

참고
- 어떤 수를 1배, 2배, 3배…… 한 수를 그 수의 배수라고 합니다.
- 크기가 같은 분수를 만들 때에는 분수의 분모와 분자에 0이 아닌 같은 수를 곱합니다.

$\frac{3}{5} = \frac{3 \times 2}{5 \times 2} = \frac{6}{10}, \frac{3}{5} = \frac{3 \times 3}{5 \times 3} = \frac{9}{15}, \frac{3}{5} = \frac{3 \times 4}{5 \times 4} = \frac{12}{20} \cdots$

8 · Run~ Ⓐ 6-1

개념 확인 문제

정답과 풀이 p.2

3-1 $\frac{8}{9} \div 2$의 몫을 구하려고 합니다. □ 안에 알맞은 수를 써넣으세요.

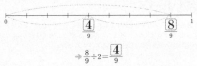

$$\rightarrow \frac{8}{9} \div 2 = \frac{4}{9}$$

❖ $\frac{8}{9}$을 똑같이 둘로 나누면 9칸 중 4칸이므로 $\frac{4}{9}$입니다.

3-2 □ 안에 알맞은 수를 써넣으세요.

(1) $\frac{12}{13} \div 4 = \frac{12 \div 4}{13} = \frac{3}{13}$ 　(2) $\frac{9}{10} \div 3 = \frac{9 \div 3}{10} = \frac{3}{10}$

❖ 분자가 자연수의 배수일 때에는 분자를 자연수로 나눕니다.

4-1 그림을 보고 □ 안에 알맞은 수를 써넣으세요.

$$\frac{4}{5} = \frac{4 \times 3}{5 \times 3} = \frac{12}{15}, \frac{4}{5} \div 3 = \frac{12}{15} \div 3 = \frac{12 \div 3}{15} = \frac{4}{15}$$

❖ $\frac{4}{5}$에서 4가 3의 배수가 아니므로 3의 배수가 되도록 $\frac{4}{5} = \frac{4 \times 3}{5 \times 3}$으로 바꾸어 계산합니다.

4-2 계산해 보세요.

(1) $\frac{9}{11} \div 2 = \frac{9}{22}$ 　(2) $\frac{2}{3} \div 5 = \frac{2}{15}$

(3) $\frac{3}{4} \div 2 = \frac{3}{8}$ 　(4) $\frac{4}{5} \div 7 = \frac{4}{35}$

❖ (3) $\frac{3}{4} \div 2 = \frac{6}{8} \div 2 = \frac{6 \div 2}{8} = \frac{3}{8}$

(4) $\frac{4}{5} \div 7 = \frac{28}{35} \div 7 = \frac{28 \div 7}{35} = \frac{4}{35}$

1. 분수의 나눗셈 · 9

1단계 교과서 개념 잡기

개념 5 (진분수)÷(자연수)를 분수의 곱셈으로 나타내어 계산하기

$\frac{2}{5} \div 3$의 계산

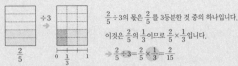

$\frac{2}{5} \div 3$의 몫은 $\frac{2}{5}$를 3등분한 것 중의 하나입니다.

이것은 $\frac{2}{5}$의 $\frac{1}{3}$이므로 $\frac{2}{5} \times \frac{1}{3}$입니다.

$$\rightarrow \frac{2}{5} \div 3 = \frac{2}{5} \times \frac{1}{3} = \frac{2}{15}$$

> · (진분수)÷(자연수)를 분수의 곱셈으로 나타내어 계산하는 방법
> ÷(자연수)를 $\times \frac{1}{(자연수)}$로 바꾼 다음 곱하여 계산합니다.
>
>

개념 6 (가분수)÷(자연수)를 분수의 곱셈으로 나타내어 계산하기

$\frac{7}{4} \div 3$의 계산

$\frac{7}{4} \div 3$의 몫은 $\frac{7}{4}$을 3등분한 것 중의 하나입니다.

이것은 $\frac{7}{4}$의 $\frac{1}{3}$이므로 $\frac{7}{4} \times \frac{1}{3}$입니다.

$$\rightarrow \frac{7}{4} \div 3 = \frac{7}{4} \times \frac{1}{3} = \frac{7}{12}$$

> · (가분수)÷(자연수)를 분수의 곱셈으로 나타내어 계산하는 방법
> ÷(자연수)를 $\times \frac{1}{(자연수)}$로 바꾼 다음 곱하여 계산합니다.

10 · Run~ Ⓐ 6-1

개념 확인 문제

정답과 풀이 p.2

5-1 □ 안에 알맞은 수를 써넣으세요.

(1) $\frac{5}{6} \div 7 = \frac{5}{6} \times \frac{1}{7} = \frac{5}{42}$ 　(2) $\frac{3}{4} \div 2 = \frac{3}{4} \times \frac{1}{2} = \frac{3}{8}$

❖ (분수)÷(자연수)=(분수)$\times \frac{1}{(자연수)}$로 계산합니다.

5-2 그림을 보고 □ 안에 알맞은 수를 써넣으세요.

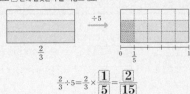

$$\frac{2}{3} \div 5 = \frac{2}{3} \times \frac{1}{5} = \frac{2}{15}$$

6-1 관계있는 것끼리 선으로 이어 보세요.

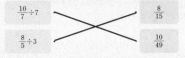

❖ $\frac{10}{7} \div 7 = \frac{10}{7} \times \frac{1}{7} = \frac{10}{49}, \frac{8}{5} \div 3 = \frac{8}{5} \times \frac{1}{3} = \frac{8}{15}$

6-2 계산해 보세요.

(1) $\frac{7}{3} \div 3 = \frac{7}{9}$ 　(2) $\frac{11}{9} \div 5 = \frac{11}{45}$

(3) $\frac{15}{11} \div 4 = \frac{15}{44}$ 　(4) $\frac{13}{8} \div 9 = \frac{13}{72}$

❖ (3) $\frac{15}{11} \div 4 = \frac{15}{11} \times \frac{1}{4} = \frac{15}{44}$

(4) $\frac{13}{8} \div 9 = \frac{13}{8} \times \frac{1}{9} = \frac{13}{72}$

1. 분수의 나눗셈 · 11

1단계 교과서 개념 잡기

정답과 풀이 p.3

개념 7 (대분수) ÷ (자연수) 알아보기

예 $2\frac{3}{4}$ ÷ 3의 계산

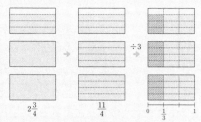

$2\frac{3}{4}$ $\frac{11}{4}$ 0 $\frac{1}{3}$ 1

대분수 $2\frac{3}{4}$ 을 가분수로 바꾸면 $\frac{11}{4}$ 이고 $\frac{11}{4}$ ÷3의 몫은 $\frac{11}{4}$ 을 3등분한 것 중의 하나입니다.

이것은 $\frac{11}{4}$ 의 $\frac{1}{3}$ 이므로 $\frac{11}{4}$ × $\frac{1}{3}$ 입니다. ➡ $2\frac{3}{4}$ ÷3 = $\frac{11}{4}$ ÷3 = $\frac{11}{4}$ × $\frac{1}{3}$ = $\frac{11}{12}$

예 $1\frac{4}{5}$ ÷4의 계산

방법1 대분수를 가분수로 바꾸고 분수의 분자를 자연수로 나누어 계산합니다.

$$1\frac{4}{5} \div 4 = \frac{9}{5} \div 4 = \frac{36}{20} \div 4 = \frac{36 \div 4}{20} = \frac{9}{20}$$

방법2 대분수를 가분수로 바꾸고 나눗셈을 곱셈으로 나타내어 계산합니다.

$$1\frac{4}{5} \div 4 = \frac{9}{5} \div 4 = \frac{9}{5} \times \frac{1}{4} = \frac{9}{20}$$

> 분자가 자연수로 나누어떨어질 때에는 분자를 자연수로 나누어 구하는 것이 편리하고, 분자가 자연수로 나누어떨어지지 않을 때에는 나눗셈을 곱셈으로 나타내어 계산하는 것이 편리합니다.

개념 확인 문제

7-1 $3\frac{2}{5}$ ÷4를 곱셈으로 바르게 나타낸 것을 찾아 ○표 하세요.

$\frac{17}{5} \times 4$	$\frac{17}{5} \times \frac{1}{4}$	$\frac{5}{17} \times \frac{1}{4}$
( )	(○)	( )

❖ $3\frac{2}{5}$ ÷4 = $\frac{17}{5}$ ÷4 = $\frac{17}{5}$ × $\frac{1}{4}$

7-2 $1\frac{2}{5}$ ÷6을 두 가지 방법으로 계산하려고 합니다. □ 안에 알맞은 수를 써넣으세요.

방법1 $1\frac{2}{5} \div 6 = \frac{\boxed{7}}{5} \div 6 = \frac{\boxed{42}}{30} \div 6 = \frac{\boxed{42} \div 6}{30} = \frac{\boxed{7}}{30}$

방법2 $1\frac{2}{5} \div 6 = \frac{\boxed{7}}{5} \div 6 = \frac{7}{5} \times \frac{1}{\boxed{6}} = \frac{\boxed{7}}{30}$

7-3 계산해 보세요.

(1) $6\frac{1}{8} \div 7 = \frac{\boxed{7}}{8}$

(2) $10\frac{5}{7} \div 5 = \frac{\boxed{15}}{7}\left(=2\frac{1}{7}\right)$

(3) $1\frac{3}{7} \div 3 = \frac{\boxed{10}}{21}$

(4) $2\frac{5}{9} \div 4 = \frac{\boxed{23}}{36}$

❖ (4) $2\frac{5}{9} \div 4 = \frac{23}{9} \div 4 = \frac{23}{9} \times \frac{1}{4} = \frac{23}{36}$

7-4 잘못 계산한 부분을 찾아 바르게 계산해 보세요.

> $1\frac{4}{9} \div 4 = 1\frac{4}{9} \times \frac{1}{4} = 1\frac{1}{9}$

바르게 계산 예 $1\frac{4}{9} \div 4 = \frac{13}{9} \div 4 = \frac{13}{9} \times \frac{1}{4} = \frac{13}{36}$

❖ 대분수를 가분수로 바꾸어 계산해야 합니다.

PLAY 교과서 개념 스토리   건전지 끼우기

분수의 나눗셈을 분수의 곱셈으로 나타낸 것과 계산 결과가 써 있는 붙임딱지를 붙여 건전지를 끼워 보세요.

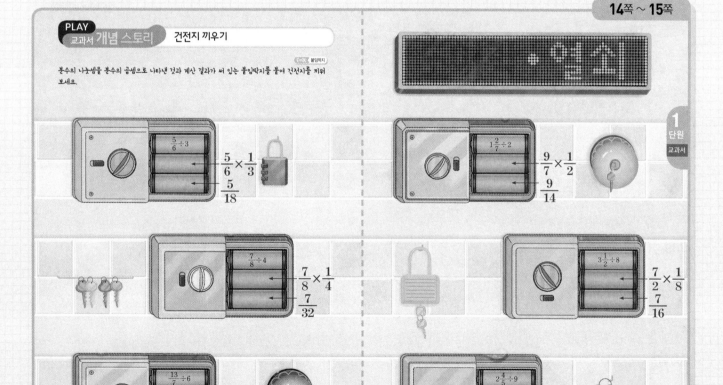

PLAY
교과서 개념 스토리　피자 만들기

나눗셈의 몫이 써 있는 붙임딱지를 붙여 피자를 만들어 보세요.

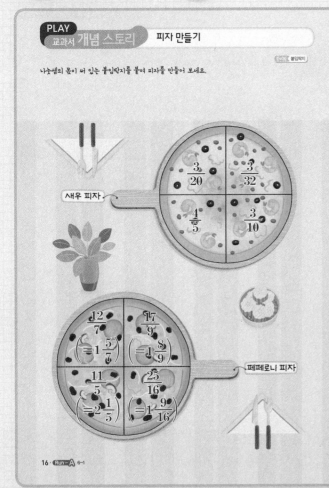

새우 피자

페페로니 피자

1 단원 교과서

보미네 피자

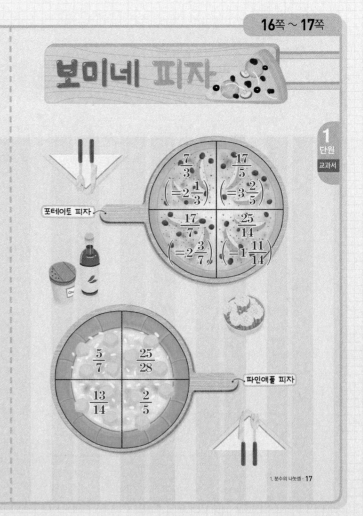

포테이토 피자

파인애플 피자

16 · Run- A 6-1

1. 분수의 나눗셈 · 17

---

2 단계 교과서 개념 다지기

정답과 풀이 p.4

개념 1 (자연수)÷(자연수)의 몫을 분수로 나타내기 (1)

01 3÷5를 그림으로 나타내고, 몫을 구해 보세요.

예

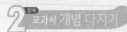

$$3 \div 5 = \frac{3}{5}$$

❖ 3÷5는 $\frac{1}{5}$이 3개이므로 $\frac{3}{5}$입니다.

02 관계있는 것끼리 선으로 이어 보세요.

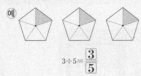

❖ 1÷3은 $\frac{1}{3}$이고, 2÷3은 $\frac{1}{3}$이 2개이고, 3÷4는 $\frac{1}{4}$이 3개입니다.

03 나눗셈의 몫을 분수로 나타내어 보세요.

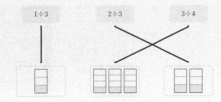

(1) 1÷9
$$\frac{1}{9}$$

(2) 4÷9
$$\frac{4}{9}$$

❖ (1) 1÷● = $\frac{1}{●}$

(2) ▲÷● = $\frac{▲}{●}$

개념 2 (자연수)÷(자연수)의 몫을 분수로 나타내기 (2)

04 5÷4를 그림으로 나타내고, 몫을 구해 보세요.

예

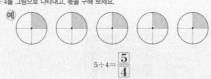

$$5 \div 4 = \frac{5}{4}$$

❖ 5÷4는 $\frac{1}{4}$이 5개이므로 $\frac{5}{4} = 1\frac{1}{4}$입니다.

05 빈칸에 나눗셈의 몫을 분수로 써넣으세요.

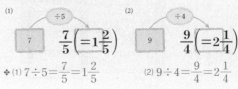

(1) 7 ÷5 $\frac{7}{5}\left(=1\frac{2}{5}\right)$

(2) 9 ÷4 $\frac{9}{4}\left(=2\frac{1}{4}\right)$

❖ (1) $7 \div 5 = \frac{7}{5} = 1\frac{2}{5}$　(2) $9 \div 4 = \frac{9}{4} = 2\frac{1}{4}$

06 나눗셈의 몫을 분수로 바르게 나타낸 것을 모두 찾아 기호를 써 보세요.

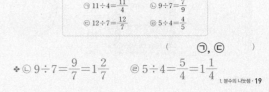

㉠ $11 \div 4 = \frac{11}{4}$　㉡ $9 \div 7 = \frac{7}{9}$

㉢ $12 \div 7 = \frac{12}{7}$　㉣ $5 \div 4 = \frac{4}{5}$

(㉠, ㉢)

❖㉡ $9 \div 7 = \frac{9}{7} = 1\frac{2}{7}$　㉣ $5 \div 4 = \frac{5}{4} = 1\frac{1}{4}$

18 · Run- A 6-1

1. 분수의 나눗셈 · 19

2 단계 교과서 개념 다지기

정답과 풀이 p.5

개념3 (분수)÷(자연수) 알아보기(1)

07 나눗셈의 몫을 찾아 선으로 이어 보세요.

❖ $\dfrac{10}{11} \div 5 = \dfrac{10 \div 5}{11} = \dfrac{2}{11}$, $\dfrac{18}{23} \div 3 = \dfrac{18 \div 3}{23} = \dfrac{6}{23}$

08 작은 수를 큰 수로 나눈 몫을 구해 보세요.

$$\dfrac{10}{17} \qquad 5$$

($\dfrac{2}{17}$)

❖ $\dfrac{10}{17} < 5$이므로 $\dfrac{10}{17}$을 5로 나눕니다.

→ $\dfrac{10}{17} \div 5 = \dfrac{10 \div 5}{17} = \dfrac{2}{17}$

09 끈 $\dfrac{8}{9}$ m를 겹치지 않게 모두 사용하여 정사각형 모양을 1개 만들었습니다. 이 정사각형의 한 변의 길이는 몇 m인지 식을 쓰고 답을 구하세요.

식 $\dfrac{8}{9} \div 4 = \dfrac{2}{9}$

답 $\dfrac{2}{9}$ m

❖ 정사각형의 네 변의 길이는 모두 같으므로 정사각형의 한 변의 길이는 $\dfrac{8}{9} \div 4 = \dfrac{8 \div 4}{9} = \dfrac{2}{9}$ (m)입니다.

개념4 (분수)÷(자연수) 알아보기(2)

10 잘못 계산한 부분을 찾아 바르게 계산해 보세요.

$$\dfrac{3}{10} \div 2 = \dfrac{3}{10 \div 2} = \dfrac{3}{5}$$

바른 계산 예 $\dfrac{3}{10} \div 2 = \dfrac{6}{20} \div 2 = \dfrac{6 \div 2}{20} = \dfrac{3}{20}$

❖ 분자를 자연수로 나누어야 합니다.

11 빈칸에 알맞은 분수를 써넣으세요.

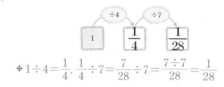

❖ $1 \div 4 = \dfrac{1}{4}$, $\dfrac{1}{4} \div 7 = \dfrac{7}{28} \div 7 = \dfrac{7 \div 7}{28} = \dfrac{1}{28}$

12 계산 결과를 비교하여 ○ 안에 >, =, <를 알맞게 써넣으세요.

$$\dfrac{5}{6} \div 4 \quad < \quad \dfrac{7}{8} \div 3$$

❖ $\dfrac{5}{6} \div 4 = \dfrac{20}{24} \div 4 = \dfrac{20 \div 4}{24} = \dfrac{5}{24}$,

$\dfrac{7}{8} \div 3 = \dfrac{21}{24} \div 3 = \dfrac{21 \div 3}{24} = \dfrac{7}{24}$

→ $\dfrac{5}{24} < \dfrac{7}{24}$

2 단계 교과서 개념 다지기

정답과 풀이 p.5

개념5 (분수)÷(자연수)를 분수의 곱셈으로 나타내기

13 $\dfrac{5}{6} \div 4$를 곱셈으로 바르게 나타낸 것에 ○표 하세요.

$$\dfrac{5}{6} \times \dfrac{4}{6} \qquad\qquad \dfrac{5}{6} \times \dfrac{1}{4}$$

( ) (○)

❖ $\dfrac{5}{6} \div 4 = \dfrac{5}{6} \times \dfrac{1}{4}$

14 계산 결과가 다른 하나를 찾아 기호를 써 보세요.

㉠ $\dfrac{7}{6} \div 3$ ㉡ $\dfrac{7}{6 \times 3}$ ㉢ $\dfrac{7 \times 3}{6}$ ㉣ $\dfrac{7}{6} \times \dfrac{1}{3}$

(㉢)

❖ $\underset{㉠}{\dfrac{7}{6} \div 3} = \underset{㉣}{\dfrac{7}{6} \times \dfrac{1}{3}} = \underset{㉡}{\dfrac{7}{6 \times 3}}$

15 진분수를 자연수로 나눈 몫을 구해 보세요.

$$\dfrac{7}{9} \qquad \dfrac{11}{9} \qquad 3 \qquad \dfrac{14}{9}$$

($\dfrac{7}{27}$)

❖ $\dfrac{7}{9}$(진분수), $\dfrac{11}{9}$(가분수), 3(자연수), $\dfrac{14}{9}$(가분수)

$\dfrac{7}{9} \div 3 = \dfrac{7}{9} \times \dfrac{1}{3} = \dfrac{7}{27}$

16 주스 $\dfrac{15}{4}$ L를 컵 7개에 똑같이 나누어 모두 담았습니다. 컵 한 개에 담은 주스는 몇 L인지 식을 쓰고 답을 구해 보세요.

식 $\dfrac{15}{4} \div 7 = \dfrac{15}{28}$

답 $\dfrac{15}{28}$ L

❖ (컵 한 개에 담은 주스의 양)
= (전체 주스의 양) ÷ (컵의 수)
= $\dfrac{15}{4} \div 7 = \dfrac{15}{4} \times \dfrac{1}{7} = \dfrac{15}{28}$ (L)

개념6 (대분수)÷(자연수) 알아보기

17 $3\dfrac{1}{8} \div 5$를 두 가지 방법으로 계산해 보세요.

방법1 예 $3\dfrac{1}{8} \div 5 = \dfrac{25}{8} \div 5 = \dfrac{25 \div 5}{8} = \dfrac{5}{8}$

방법2 예 $3\dfrac{1}{8} \div 5 = \dfrac{25}{8} \div 5 = \dfrac{25}{8} \times \dfrac{1}{5} = \dfrac{25}{40} = \dfrac{5}{8}$

❖ 방법1 대분수를 가분수로 고친 후 분자를 자연수로 나누는 방법입니다.

방법2 대분수를 가분수로 고친 후 분수의 곱셈으로 나타내어 계산하는 방법입니다.

18 잘못 계산한 부분을 찾아 바르게 계산해 보세요.

$$2\dfrac{6}{7} \div 3 = 2\dfrac{6 \div 3}{7} = 2\dfrac{2}{7}$$

바른 계산 예 $2\dfrac{6}{7} \div 3 = \dfrac{20}{7} \div 3 = \dfrac{20}{7} \times \dfrac{1}{3} = \dfrac{20}{21}$

❖ 대분수를 가분수로 바꾼 후 계산해야 합니다.

19 계산 결과를 비교하여 ○ 안에 >, =, <를 알맞게 써넣으세요.

$$1\dfrac{7}{8} \div 3 \quad < \quad 4\dfrac{3}{8} \div 5$$

❖ $1\dfrac{7}{8} \div 3 = \dfrac{15}{8} \div 3 = \dfrac{15 \div 3}{8} = \dfrac{5}{8}$,

$4\dfrac{3}{8} \div 5 = \dfrac{35}{8} \div 5 = \dfrac{35 \div 5}{8} = \dfrac{7}{8}$

→ $\dfrac{5}{8} < \dfrac{7}{8}$

3단계 교과서 실력 다지기

★ 정다각형의 한 변의 길이 구하기

1 오른쪽 정삼각형의 둘레는 $\frac{11}{4}$ m입니다. 정삼각형의 한 변의 길이는 몇 m인지 구해 보세요.

답 $\frac{11}{12}$ m

개념 리드백
① 정삼각형은 세 변의 길이가 같습니다.
② (정삼각형의 한 변의 길이)=(정삼각형의 둘레)÷3

$$\frac{11}{4} \div 3 = \frac{11}{4} \times \frac{1}{3} = \frac{11}{12}(m)$$

1-1 오른쪽 정오각형의 둘레는 $1\frac{5}{6}$ m입니다. 정오각형의 한 변의 길이는 몇 m 인지 구해 보세요.

($\frac{11}{30}$ m)

❖ 정오각형은 다섯 변의 길이가 같습니다.
$$1\frac{5}{6} \div 5 = \frac{11}{6} \div 5 = \frac{11}{6} \times \frac{1}{5} = \frac{11}{30}(m)$$

1-2 오른쪽 정육각형의 둘레는 $5\frac{3}{9}$ m입니다. 정육각형의 한 변의 길이는 몇 m 인지 기약분수로 나타내어 보세요.

($\frac{8}{9}$ m)

❖ 정육각형은 여섯 변의 길이가 같습니다.
$$5\frac{3}{9} \div 6 = \frac{48}{9} \div 6 = \frac{48 \div 6}{9} = \frac{8}{9}(m)$$

★ 두 분수 사이의 자연수 구하기

2 ㉠과 ㉡ 사이의 자연수를 모두 구해 보세요.

| ㉠ 7÷5 | ㉡ 19÷3 |

답 **2, 3, 4, 5, 6**

개념 리드백
① ▲÷●=$\frac{▲}{●}$
② ■는 $\frac{▲}{●}$보다 큰 자연수는 (■+1), (■+2), (■+3)……이고, ■는 $\frac{▲}{●}$보다 작은 자연수는 (■−1), (■−2)……입니다.

❖ ㉠ $7 \div 5 = \frac{7}{5} = 1\frac{2}{5}$, ㉡ $19 \div 3 = \frac{19}{3} = 6\frac{1}{3}$
따라서 ㉠과 ㉡ 사이의 자연수는 2, 3, 4, 5, 6입니다.

2-1 ㉠과 ㉡ 사이의 자연수를 모두 구해 보세요.

| ㉠ 4÷7 | ㉡ 21÷4 |

(**1, 2, 3, 4, 5**)

❖ ㉠ $4 \div 7 = \frac{4}{7}$, ㉡ $21 \div 4 = \frac{21}{4} = 5\frac{1}{4}$
따라서 ㉠과 ㉡ 사이의 자연수는 1, 2, 3, 4, 5입니다.

2-2 ㉠과 ㉡ 사이의 자연수는 모두 몇 개인지 구해 보세요.

| ㉠ $1\frac{5}{7}$÷8 | ㉡ 9÷2 |

(**4개**)

❖ ㉠ $1\frac{5}{7} \div 8 = \frac{12}{7} \div 8 = \frac{\overset{3}{\cancel{12}}}{7} \times \frac{1}{\underset{2}{\cancel{8}}} = \frac{3}{14}$, ㉡ $9 \div 2 = \frac{9}{2} = 4\frac{1}{2}$
따라서 ㉠과 ㉡ 사이의 자연수는 1, 2, 3, 4로 모두 4개입니다.

1단원 교과서

3단계 교과서 실력 다지기

★ 각각 나타내는 수의 합과 차 구하기

3 ㉠과 ㉡의 합을 기약분수로 나타내어 보세요.

| ㉠ $3\frac{1}{5}$÷4 | ㉡ $3\frac{3}{5}$÷6 |

답 $\frac{7}{5}\left(=1\frac{2}{5}\right)$

개념 리드백
① ㉠과 ㉡을 각각 계산합니다.
② ㉠+㉡을 구합니다.

❖ ㉠ $3\frac{1}{5} \div 4 = \frac{16}{5} \div 4 = \frac{16 \div 4}{5} = \frac{4}{5}$
㉡ $3\frac{3}{5} \div 6 = \frac{18}{5} \div 6 = \frac{18 \div 6}{5} = \frac{3}{5}$
➡ ㉠+㉡ $= \frac{4}{5} + \frac{3}{5} = \frac{7}{5} = 1\frac{2}{5}$

3-1 ㉠과 ㉡의 합을 기약분수로 나타내어 보세요.

| ㉠ $1\frac{5}{7}$÷3 | ㉡ $4\frac{2}{7}$÷6 |

❖ ㉠ $1\frac{5}{7} \div 3 = \frac{12}{7} \div 3 = \frac{12 \div 3}{7} = \frac{4}{7}$, $\frac{9}{7}\left(=1\frac{2}{7}\right)$
㉡ $4\frac{2}{7} \div 6 = \frac{30}{7} \div 6 = \frac{30 \div 6}{7} = \frac{5}{7}$
➡ ㉠+㉡ $= \frac{4}{7} + \frac{5}{7} = \frac{9}{7} = 1\frac{2}{7}$

3-2 ㉠과 ㉡의 차를 구해 보세요.

| ㉠ $4\frac{2}{3}$÷5 | ㉡ $1\frac{2}{5}$÷3 |

($\frac{7}{15}$)

❖ ㉠ $4\frac{2}{3} \div 5 = \frac{14}{3} \div 5 = \frac{14}{3} \times \frac{1}{5} = \frac{14}{15}$

㉡ $1\frac{2}{5} \div 3 = \frac{7}{5} \div 3 = \frac{7}{5} \times \frac{1}{3} = \frac{7}{15}$

➡ ㉠−㉡ $= \frac{14}{15} - \frac{7}{15} = \frac{7}{15}$

★ □ 안에 들어갈 수 있는 자연수 구하기

4 □ 안에 들어갈 수 있는 자연수를 모두 구해 보세요.

$$\frac{\square}{6} < 1\frac{2}{3} \div 2$$

답 **1, 2, 3, 4**

개념 리드백
① 계산할 수 있는 부분을 먼저 계산합니다.
② 분모가 같은 분수는 분자가 클수록 더 큰 수입니다.

❖ $1\frac{2}{3} \div 2 = \frac{5}{3} \div 2 = \frac{5}{3} \times \frac{1}{2} = \frac{5}{6}$입니다. $\frac{\square}{6} < 1\frac{2}{3} \div 2$는 $\frac{\square}{6} < \frac{5}{6}$와 같습니다.
□는 5보다 작아야 하므로 □ 안에 들어갈 수 있는 자연수는 1, 2, 3, 4입니다.

4-1 □ 안에 들어갈 수 있는 자연수를 모두 구해 보세요.

$$2\frac{1}{3} \div 4 > \frac{\square}{12}$$

(**1, 2, 3, 4, 5, 6**)

❖ $2\frac{1}{3} \div 4 = \frac{7}{3} \div 4 = \frac{7}{3} \times \frac{1}{4} = \frac{7}{12}$입니다. $2\frac{1}{3} \div 4 > \frac{\square}{12}$는 $\frac{7}{12} > \frac{\square}{12}$와 같습니다.
□는 7보다 작아야 하므로 □ 안에 들어갈 수 있는 자연수는 1, 2, 3, 4, 5, 6입니다.

4-2 □ 안에 들어갈 수 있는 자연수 중 가장 큰 수를 구해 보세요.

$$5 \div \square > 1$$

(**4**)

❖ $5 \div \square$가 1보다 크려면 □ 안에 들어갈 수 있는 자연수는 5보다 작아야 합니다.
따라서 □ 안에 들어갈 수 있는 자연수는 1, 2, 3, 4이고, 가장 큰 수는 4입니다.

1단원 교과서

③단계 교과서 실력 다지기

정답과 풀이 p.7

★ 어떤 수 구하기

5 어떤 수에 4를 곱했더니 $\frac{5}{9}$가 되었습니다. 어떤 수를 구해 보세요.

답 $\frac{5}{36}$

개념 가이드
① 어떤 수를 □라 하고 식을 세웁니다.
② 곱셈과 나눗셈의 관계를 이용하여 □를 구합니다.

❖ 어떤 수를 □라 하면 $\square \times 4 = \frac{5}{9}$입니다.

$$\square = \frac{5}{9} \div 4 = \frac{5}{9} \times \frac{1}{4} = \frac{5}{36}$$

5-1 어떤 수에 9를 곱했더니 $\frac{7}{4}$이 되었습니다. 어떤 수를 구해 보세요.

($\frac{7}{36}$)

❖ 어떤 수를 □라 하면 $\square \times 9 = \frac{7}{4}$입니다.

$$\square = \frac{7}{4} \div 9 = \frac{7}{4} \times \frac{1}{9} = \frac{7}{36}$$

5-2 어떤 수에 6을 곱했더니 $2\frac{1}{3}$이 되었습니다. 어떤 수를 구해 보세요.

($\frac{7}{18}$)

❖ 어떤 수를 □라 하면 $\square \times 6 = 2\frac{1}{3}$입니다.

$$\square = 2\frac{1}{3} \div 6 = \frac{7}{3} \div 6 = \frac{7}{3} \times \frac{1}{6} = \frac{7}{18}$$

5-3 어떤 수를 5로 나누어야 할 것을 잘못하여 곱했더니 $3\frac{1}{8}$이 되었습니다. 바르게 계산한 값을 기약분수로 나타내어 보세요.

($\frac{1}{8}$)

❖ 어떤 수를 □라 하면 $\square \times 5 = 3\frac{1}{8}$입니다.

$$\square = 3\frac{1}{8} \div 5 = \frac{25}{8} \div 5 = \frac{25 \div 5}{8} = \frac{5}{8}$$

따라서 바르게 계산하면 $\frac{5}{8} \div 5 = \frac{5 \div 5}{8} = \frac{1}{8}$입니다.

★ 수 카드로 나눗셈식 만들어 계산하기

6 수 카드 3장을 한 번씩 모두 사용하여 계산 결과가 가장 큰 (진분수)÷(자연수)를 만들고 계산해 보세요.

2 3 5 → $\frac{3}{5} \div 2$

답 $\frac{3}{10}$

개념 가이드
① 나누어지는 수를 가장 크게, 나누는 수를 가장 작게 만듭니다.
② $\frac{\blacktriangle}{\bullet} \div \blacksquare = \frac{\blacktriangle}{\bullet} \times \frac{1}{\blacksquare} = \frac{\blacktriangle}{\bullet \times \blacksquare}$

❖ 수 카드 중 가장 작은 수인 2를 나누는 수로 하고 나머지 3, 5로 진분수를 만들어 계산합니다. → $\frac{3}{5} \div 2 = \frac{3}{5} \times \frac{1}{2} = \frac{3}{10}$

6-1 수 카드 3장을 한 번씩 모두 사용하여 계산 결과가 가장 큰 (진분수)÷(자연수)를 만들고 계산해 보세요.

3 5 7 → $\frac{5}{7} \div 3$

($\frac{5}{21}$)

❖ 수 카드 중 가장 작은 수인 3을 나누는 수로 하고 나머지 5, 7로 진분수를 만들어 계산합니다. → $\frac{5}{7} \div 3 = \frac{5}{7} \times \frac{1}{3} = \frac{5}{21}$

6-2 수 카드 4장을 한 번씩 모두 사용하여 계산 결과가 가장 작은 (대분수)÷(자연수)를 만들고 계산하여 기약분수로 나타내어 보세요.

2 4 5 8 → $2\frac{4}{5} \div 8$

($\frac{7}{20}$)

❖ 계산 결과가 가장 작은 나눗셈식은 나누어지는 수를 가장 작게, 나누는 수를 가장 크게 만듭니다. 수 카드 중 가장 큰 수인 8을 나누는 수로 하고 나머지 2, 4, 5로 가장 작은 대분수를 만들어 계산합니다.

$$\rightarrow 2\frac{4}{5} \div 8 = \frac{14}{5} \div 8 = \frac{\overset{7}{\cancel{14}}}{5} \times \frac{1}{\underset{4}{\cancel{8}}} = \frac{7}{20}$$

교과서 **서술형 연습**

정답과 풀이 p.7

1 오른쪽 정사각형의 둘레는 $\frac{5}{3}$ m입니다. 정사각형의 넓이는 몇 m²인지 구해 보세요.

둘레: $\frac{5}{3}$ m

✎ 구하려는 것, 주어진 것에 선 긋기

해결하기 정사각형의 네 변의 길이는 모두 같으므로 한 변의 길이는

$$\frac{5}{3} \div \boxed{4} = \frac{5}{3} \times \frac{1}{\boxed{4}} = \frac{\boxed{5}}{\boxed{12}} \text{(m)입니다.}$$

따라서 정사각형의 넓이는 $\frac{\boxed{5}}{\boxed{12}} \times \frac{\boxed{5}}{\boxed{12}} = \frac{\boxed{25}}{\boxed{144}}$ (m²)입니다.

답 구하기 $\frac{25}{144}$ m²

2 오른쪽 정사각형의 둘레는 $1\frac{1}{4}$ m입니다. 정사각형의 넓이는 몇 m²인지 구해 보세요. **주어진 것** **구하려는 것**

둘레: $1\frac{1}{4}$ m

✎ 구하려는 것, 주어진 것에 선 긋기

해결하기 **예** 정사각형의 네 변의 길이는 모두 같으므로 한 변의 길이는

$$1\frac{1}{4} \div 4 = \frac{5}{4} \div 4 = \frac{5}{4} \times \frac{1}{4} = \frac{5}{16} \text{(m)입니다.}$$

따라서 정사각형의 넓이는 $\frac{5}{16} \times \frac{5}{16} = \frac{25}{256}$ (m²)입니다.

답 $\frac{25}{256}$ m²

3 한 병에 $\frac{3}{2}$ L씩 들어 있는 우유가 2병 있습니다. 이 우유를 4일 동안 남김없이 똑같이 나누어 마시려면 하루에 우유를 몇 L씩 마셔야 하는지 분수로 나타내어 보세요.

✎ 구하려는 것, 주어진 것에 선 긋기

해결하기 (전체 우유의 양)
=(한 병에 들어 있는 우유의 양)×(병의 수)= $\frac{3}{2} \times \boxed{2} = \boxed{3}$ (L)입니다.

따라서 하루에 마셔야 할 우유의 양은 $\boxed{3} \div \boxed{4} = \frac{\boxed{3}}{\boxed{4}}$ (L)입니다.

답 구하기 $\frac{3}{4}$ L

4 한 병에 $\frac{7}{4}$ L씩 들어 있는 주스가 4병 있습니다. 이 주스를 8일 동안 남김없이 똑같이 나누어 마시려면 하루에 주스를 몇 L씩 마셔야 하는지 분수로 나타내어 보세요.

┌→ 주어진 것   ┌→ 구하려는 것

✎ 구하려는 것, 주어진 것에 선 긋기

해결하기 **예** (전체 주스의 양)
=(한 병에 들어 있는 주스의 양)×(병의 수)
= $\frac{7}{4} \times 4 = 7$ (L)입니다.

따라서 하루에 마셔야 할 주스의 양은

$$7 \div 8 = \frac{7}{8} \text{(L)입니다.}$$

답 구하기 $\frac{7}{8}$ L

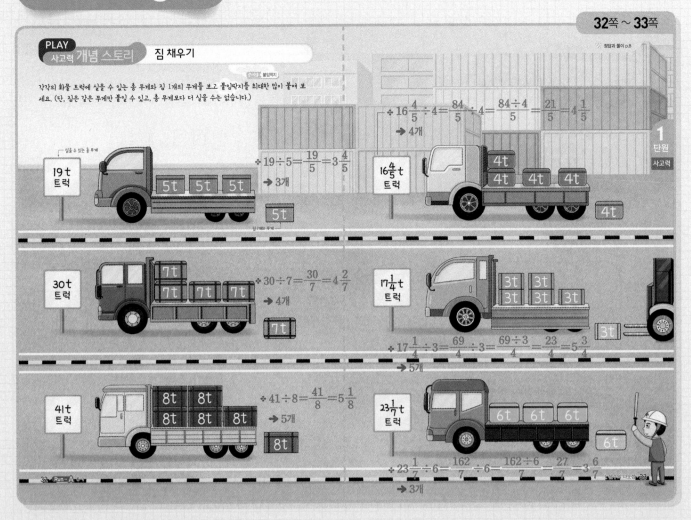

PLAY 사고력 개념 스토리 · 짐 채우기

각각의 화물 트럭에 실을 수 있는 총 무게와 짐 1개의 무게를 보고 붙임딱지를 최대한 많이 붙여 보세요. (단, 짐은 같은 무게만 붙일 수 있고, 총 무게보다 더 실을 수는 없습니다.)

$$\div 16\frac{4}{5} \div 4 = \frac{84}{5} \div 4 = \frac{84 \div 4}{5} = \frac{21}{5} = 4\frac{1}{5}$$
→ 4개

$$\div 19 \div 5 = \frac{19}{5} = 3\frac{4}{5}$$
→ 3개

$$\div 30 \div 7 = \frac{30}{7} = 4\frac{2}{7}$$
→ 4개

$$\div 17\frac{1}{4} \div 3 = \frac{69}{4} \div 3 = \frac{69 \div 3}{4} = \frac{23}{4} = 5\frac{3}{4}$$
→ 5개

$$\div 41 \div 8 = \frac{41}{8} = 5\frac{1}{8}$$
→ 5개

$$\div 23\frac{1}{7} \div 6 = \frac{162}{7} \div 6 = \frac{162 \div 6}{7} = \frac{27}{7} = 3\frac{6}{7}$$
→ 3개

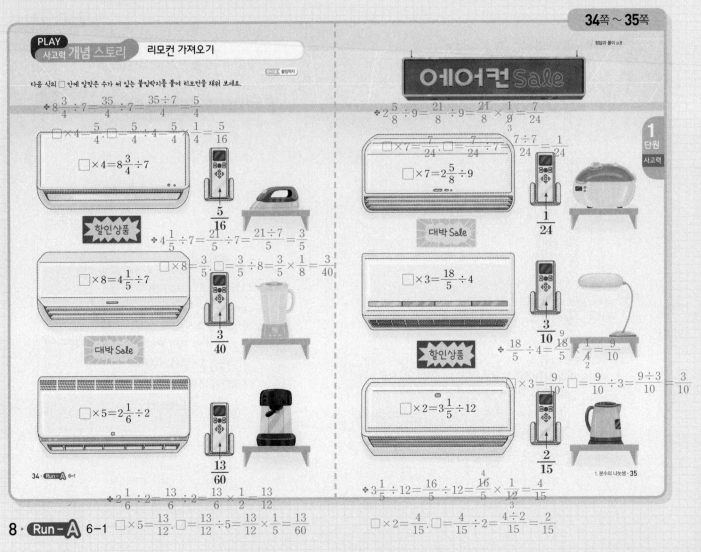

PLAY 사고력 개념 스토리 · 리모컨 가져오기

다음 식의 □ 안에 알맞은 수가 써 있는 붙임딱지를 붙여 리모컨을 채워 보세요.

$$\div 8\frac{3}{4} \div 7 = \frac{35}{4} \div 7 = \frac{35 \div 7}{4} = \frac{5}{4}$$

$$\Box \times 4 = \frac{5}{4}, \Box = \frac{5}{4} \div 4 = \frac{5}{4} \times \frac{1}{4} = \frac{5}{16}$$

$$\Box \times 4 = 8\frac{3}{4} \div 7$$

$$\frac{5}{16}$$

$$\div 4\frac{1}{5} \div 7 = \frac{21}{5} \div 7 = \frac{21 \div 7}{5} = \frac{3}{5}$$

$$\Box \times 8 = \frac{3}{5}, \Box = \frac{3}{5} \div 8 = \frac{3}{5} \times \frac{1}{8} = \frac{3}{40}$$

$$\Box \times 8 = 4\frac{1}{5} \div 7$$

$$\frac{3}{40}$$

$$\Box \times 5 = 2\frac{1}{6} \div 2$$

$$\frac{13}{60}$$

$$\div 2\frac{1}{6} \div 2 = \frac{13}{6} \div 2 = \frac{13}{6} \times \frac{1}{2} = \frac{13}{12}$$

$$\Box \times 5 = \frac{13}{12}, \Box = \frac{13}{12} \div 5 = \frac{13}{12} \times \frac{1}{5} = \frac{13}{60}$$

$$\div 2\frac{5}{8} \div 9 = \frac{21}{8} \div 9 = \frac{21}{8} \times \frac{1}{9} = \frac{7}{24}$$

$$\Box \times 7 = \frac{7}{24}, \Box = \frac{7}{24} \div 7 = \frac{7 \div 7}{24} = \frac{1}{24}$$

$$\Box \times 7 = 2\frac{5}{8} \div 9$$

$$\frac{1}{24}$$

$$\div \frac{18}{5} \div 4 = \frac{9}{10}$$

$$\Box \times 3 = \frac{18}{5} \div 4$$

$$\frac{3}{10}$$

$$\Box \times 3 = \frac{9}{10}, \Box = \frac{9}{10} \div 3 = \frac{9 \div 3}{10} = \frac{3}{10}$$

$$\div 3\frac{1}{5} \div 12 = \frac{16}{5} \div 12 = \frac{16}{5} \times \frac{1}{12} = \frac{4}{15}$$

$$\Box \times 2 = 3\frac{1}{5} \div 12$$

$$\frac{2}{15}$$

$$\Box \times 2 = \frac{4}{15}, \Box = \frac{4}{15} \div 2 = \frac{4 \div 2}{15} = \frac{2}{15}$$

1단계 교과 사고력 잡기

1 물 1 L는 병 5개에, 물 2 L는 병 7개에 남김없이 똑같이 나누어 담으려고 합니다. 나누어 담는 병의 모양과 크기가 같다면 가와 나 중 어느 병에 물이 더 많은지 구해 보세요.

❶ 병 가에 들어 있는 물의 양을 분수로 나타내어 보세요.

($\frac{1}{5}$ L)

❖ $1 \div 5 = \frac{1}{5}$ (L)

❷ 병 나에 들어 있는 물의 양을 분수로 나타내어 보세요.

($\frac{2}{7}$ L)

❖ $2 \div 7 = \frac{2}{7}$ (L)

❸ 병 가와 병 나에 들어 있는 물의 양을 비교하여 ○ 안에 >, =, <를 알맞게 써넣으세요.

병 가 $\bigcirc\!\!\!<$ 병 나

❖ 병 가: $\frac{1}{5} = \frac{1 \times 7}{5 \times 7} = \frac{7}{35}$ (L), 병 나: $\frac{2}{7} = \frac{2 \times 5}{7 \times 5} = \frac{10}{35}$ (L)

➜ $\frac{7}{35} < \frac{10}{35}$ 이므로 병 가<병 나입니다.

❹ 물이 더 많이 들어 있는 병의 기호를 써 보세요.

(나)

36 · Run–A 6–1

2 5장의 수 카드 ③, ⑤, ⑥, ⑦, ⑨ 가 있습니다. 이 중에서 한 장을 골라 몫이 가장 큰 나눗셈식 1÷□를 만들려고 합니다. 물음에 답하세요.

❶ 알맞은 말에 ○표 해 보세요.

$1 \div \square = \frac{1}{\square}$ 이므로 □ 안에 들어갈 수가 (작을수록), 클수록)
몫이 커집니다.

❖ 분자가 같을 때 분모가 작을수록 더 큰 수입니다.

❷ 수 카드의 크기를 비교해서 □ 안에 들어갈 수를 구해 보세요.

(3)

❖ 3<5<6<7<9이므로 □ 안에 들어갈 수는 3입니다.

❸ 몫이 가장 큰 나눗셈식 1÷□의 몫을 분수로 나타내어 보세요.

($\frac{1}{3}$)

❖ $1 \div 3 = \frac{1}{3}$

3 5장의 수 카드 ②, ④, ⑥, ⑦, ⑧ 이 있습니다. 이 중에서 한 장을 골라 몫이 가장 작은 나눗셈식 1÷□를 만들려고 합니다. 나눗셈식을 완성하고 몫을 분수로 나타내어 보세요.

$$\boxed{1 \div \boxed{8}}$$

($\frac{1}{8}$)

❖ $1 \div \square = \frac{1}{\square}$ 이므로 □ 안에 들어갈 수가 클수록 몫이 작아집니다.
따라서 2<4<6<7<8이므로 □ 안에 들어갈 수는 8입니다.

➜ $1 \div 8 = \frac{1}{8}$

1. 분수의 나눗셈 · 37

1단계 교과 사고력 잡기

4 길이가 $\frac{7}{12}$ km인 도로의 한쪽에 처음부터 끝까지 같은 간격으로 가로수 10그루를 심으려고 합니다. 가로수 사이의 간격은 몇 km로 해야 하는지 구해 보세요. (단, 가로수의 굵기는 생각하지 않습니다.)

$\frac{7}{12}$ km

❶ 가로수 사이의 간격은 몇 군데인지 구해 보세요.

(9군데)

❖ (가로수 사이의 간격의 수)=(가로수의 수)−1
= 10−1=9(군데)

❷ 가로수 사이의 간격은 몇 km로 해야 하는지 구해 보세요.

($\frac{7}{108}$ km)

❖ $\frac{7}{12} \div 9 = \frac{7}{12} \times \frac{1}{9} = \frac{7}{108}$ (km)

5 둘레가 $8\frac{2}{3}$ m인 원 모양의 울타리에 같은 간격으로 꽃 12송이를 심으려고 합니다. 꽃 사이의 간격은 몇 m로 해야 하는지 기약분수로 나타내어 보세요. (단, 꽃의 굵기는 생각하지 않습니다.)

($\frac{13}{18}$ m)

❖ (꽃 사이의 간격의 수)=(꽃의 수)=12군데

38 · Run–A 6–1   ➜ $8\frac{2}{3} \div 12 = \frac{26}{3} \div 12 = \frac{\overset{13}{\cancel{26}}}{3} \times \frac{1}{\underset{6}{\cancel{12}}} = \frac{13}{18}$ (m)

6 넓이가 $32\frac{2}{5}$ m²인 밭이 있습니다. 이 밭의 $\frac{3}{8}$에는 호박을 심고 남은 부분의 반에는 상추를 심었습니다. 상추를 심은 부분의 넓이는 몇 m²인지 구해 보세요.

❖ 호박을 밭의 $\frac{3}{8}$에 심었으므로 8칸 중에서 3칸에 색칠합니다.

예
(격자 표)

❶ 호박을 심은 부분을 빨간색으로 색칠해 보세요.

❖ 8칸 중 5칸이 남았으므로 $\frac{5}{8}$입니다.

❷ 호박을 심고 남은 부분은 전체의 몇 분의 몇인지 분수로 나타내어 보세요.

($\frac{5}{8}$)

❖ $32\frac{2}{5} \times \frac{5}{8} = \frac{\overset{81}{\cancel{162}}}{\underset{1}{\cancel{5}}} \times \frac{\overset{1}{\cancel{5}}}{\underset{4}{\cancel{8}}} = \frac{81}{4} = 20\frac{1}{4}$ (m²)

❸ 호박을 심고 남은 부분의 넓이는 몇 m²인지 기약분수로 나타내어 보세요.

$\frac{81}{4}$ m² $\left(= 20\frac{1}{4}$ m² $\right)$

❖ $20\frac{1}{4} \div 2 = \frac{81}{4} \div 2 = \frac{81}{4} \times \frac{1}{2} = \frac{81}{8} = 10\frac{1}{8}$ (m²)

❹ 상추를 심은 부분의 넓이는 몇 m²인지 구해 보세요.

$\frac{81}{8}$ m² $\left(= 10\frac{1}{8}$ m² $\right)$

❖ 장미를 심고 남은 부분은 전체의 $1 - \frac{5}{7} = \frac{7}{7} - \frac{5}{7} = \frac{2}{7}$입니다.

7 넓이가 $9\frac{4}{5}$ m²인 꽃밭이 있습니다. 꽃밭의 $\frac{5}{7}$에는 장미를 심고 남은 부분의 반에는 해바라기를 심었습니다. 해바라기를 심은 부분의 넓이는 몇 m²인지 기약분수로 나타내어 보세요.

➜ (장미를 심고 남은 부분의 넓이)

$\frac{7}{5}$ m² $\left(= 1\frac{2}{5}$ m² $\right)$

$= 9\frac{4}{5} \times \frac{2}{7} = \frac{\overset{7}{\cancel{49}}}{5} \times \frac{2}{\underset{1}{\cancel{7}}} = \frac{14}{5} = 2\frac{4}{5}$ (m²)

1. 분수의 나눗셈 · 39

(해바라기를 심은 부분의 넓이)$= 2\frac{4}{5} \div 2 = \frac{14}{5} \div 2$

$= \frac{14 \div 2}{5} = \frac{7}{5} = 1\frac{2}{5}$ (m²)

정답과 풀이 p.10

2단계 교과 사고력 확장

1 다음은 치타, 호랑이, 얼룩말이 각각 주어진 시간 동안 간 거리를 나타낸 것입니다. 물음에 답하세요. (단, 치타, 호랑이, 얼룩말의 빠르기는 각각 일정합니다.)

치타	호랑이	얼룩말
한 시간: 113 km	10분: $\frac{40}{3}$ km	40분: $\frac{70}{3}$ km

① 치타는 1분 동안 몇 km를 가는지 분수로 나타내어 보세요.

$$\frac{113}{60}\,km\left(=1\frac{53}{60}\,km\right)$$

✤ $113 \div 60 = \frac{113}{60} = 1\frac{53}{60}$ (km)

② 호랑이는 1분 동안 몇 km를 가는지 기약분수로 나타내어 보세요.

$$\frac{4}{3}\,km\left(=1\frac{1}{3}\,km\right)$$

✤ $\frac{40}{3} \div 10 = \frac{40 \div 10}{3} = \frac{4}{3} = 1\frac{1}{3}$ (km)

③ 얼룩말은 1분 동안 몇 km를 가는지 기약분수로 나타내어 보세요.

$$\left(\ \frac{7}{12}\,km\ \right)$$

✤ $\frac{70}{3} \div 40 = \frac{\overset{7}{\cancel{70}}}{3} \times \frac{1}{\underset{4}{\cancel{40}}} = \frac{7}{12}$ (km)

④ 빠른 동물부터 차례로 써 보세요.

(**치타, 호랑이, 얼룩말**)

✤ 치타 $\left(1\frac{53}{60}\right)$ > 호랑이 $\left(1\frac{1}{3}=1\frac{20}{60}\right)$ > 얼룩말 $\left(\frac{7}{12}=\frac{35}{60}\right)$

40 · Run- A 6-1

---

2 수직선에서 $\frac{1}{4}$과 $\frac{7}{8}$ 사이를 5등분 하였습니다. ㉠에 알맞은 수를 구해 보세요.

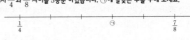

① $\frac{1}{4}$과 $\frac{7}{8}$ 사이의 크기를 구해 보세요.

$$\left(\ \frac{5}{8}\ \right)$$

✤ $\frac{7}{8} - \frac{1}{4} = \frac{7}{8} - \frac{2}{8} = \frac{5}{8}$

② 눈금 한 칸의 크기를 구해 보세요.

$$\left(\ \frac{1}{8}\ \right)$$

✤ $\frac{5}{8} \div 5 = \frac{5 \div 5}{8} = \frac{1}{8}$

③ $\frac{1}{4}$과 ㉠ 사이의 크기를 구해 보세요.

$$\left(\ \frac{3}{8}\ \right)$$

✤ $\frac{1}{8} \times 3 = \frac{3}{8}$

④ ㉠에 알맞은 수를 구해 보세요.

$$\left(\ \frac{5}{8}\ \right)$$

✤ $\frac{1}{4} + \frac{3}{8} = \frac{2}{8} + \frac{3}{8} = \frac{5}{8}$

3 수직선에서 $\frac{3}{5}$과 $\frac{6}{7}$ 사이를 3등분 하였습니다. ㉠에 알맞은 수를 구해 보세요.

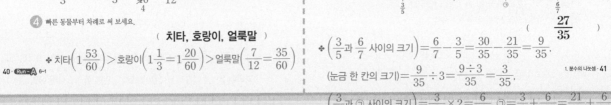

$$\frac{27}{35}$$

✤ $\left(\frac{3}{5}$과 $\frac{6}{7}$ 사이의 크기$\right) = \frac{6}{7} - \frac{3}{5} = \frac{30}{35} - \frac{21}{35} = \frac{9}{35}$,

(눈금 한 칸의 크기) $= \frac{9}{35} \div 3 = \frac{9 \div 3}{35} = \frac{3}{35}$,

$\left(\frac{3}{5}$과 ㉠ 사이의 크기$\right) = \frac{3}{35} \times 2 = \frac{6}{35}$, ㉠ $= \frac{3}{5} + \frac{6}{35} = \frac{21}{35} + \frac{6}{35} = \frac{27}{35}$

1. 분수의 나눗셈 · 41

정답과 풀이 p.10

2단계 교과 사고력 확장

4 넓이가 $32\frac{4}{7}$ cm²인 직사각형의 일부분을 색칠한 것입니다. 색칠한 부분의 넓이는 몇 cm²인지 구해 보세요.

① 전체를 8등분한 모양이 되도록 위 직사각형에 점선을 한 개만 그어 보세요.

② 색칠한 부분은 전체의 몇 분의 몇인지 구해 보세요.

$$\left(\ \frac{4}{8}\left(=\frac{1}{2}\right)\ \right)$$

✤ 색칠한 부분은 전체를 똑같이 8로 나눈 것 중의 4이므로 $\frac{4}{8} = \frac{1}{2}$입니다.

③ 색칠한 부분의 넓이는 몇 cm²인지 기약분수로 나타내어 보세요.

$$\frac{114}{7}\,cm^2\left(=16\frac{2}{7}\,cm^2\right)$$

✤ $32\frac{4}{7} \div 2 = \frac{228}{7} \div 2 = \frac{228 \div 2}{7} = \frac{114}{7} = 16\frac{2}{7}$ (cm²)

5 넓이가 $4\frac{2}{9}$ m²인 정사각형 일부분을 색칠한 것입니다. 색칠한 부분의 넓이를 구해 보세요.

$$\frac{19}{9}\,m^2\left(=2\frac{1}{9}\,m^2\right)$$

✤ 위 정사각형에 점선을 한 개 더 그으면 색칠한 부분은 전체를 똑같이 16으로 나눈 것 중의 8이므로 $\frac{8}{16} = \frac{1}{2}$입니다.

➜ (색칠한 부분의 넓이) $= 4\frac{2}{9} \div 2 = \frac{38}{9} \div 2 = \frac{38 \div 2}{9} = \frac{19}{9} = 2\frac{1}{9}$ (m²)

42 · Run- A 6-1

---

6 ■$=2\frac{3}{8}$, ●$=3$일 때 다음 식의 값을 구해 보세요.

① 바르게 나타낸 것에 ○표 하세요.

(○) (   )

② $\frac{■}{●}$의 값을 구해 보세요.

$$\left(\ \frac{19}{24}\ \right)$$

✤ $\frac{■}{●} = ■ \div ● = 2\frac{3}{8} \div 3 = \frac{19}{8} \div 3 = \frac{19}{8} \times \frac{1}{3} = \frac{19}{24}$

③ $\frac{■}{●} \div ●$의 값을 구해 보세요.

$$\left(\ \frac{19}{72}\ \right)$$

✤ $\frac{19}{24} \div 3 = \frac{19}{24} \times \frac{1}{3} = \frac{19}{72}$

7 ★$=\frac{7}{4}$, ♥$=5$일 때 다음 식의 값을 구해 보세요.

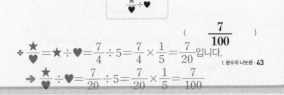

$$\left(\ \frac{7}{100}\ \right)$$

✤ $\frac{★}{♥} = ★ \div ♥ = \frac{7}{4} \div 5 = \frac{7}{4} \times \frac{1}{5} = \frac{7}{20}$입니다.

➜ $\frac{★}{♥} \div ♥ = \frac{7}{20} \div 5 = \frac{7}{20} \times \frac{1}{5} = \frac{7}{100}$

1. 분수의 나눗셈 · 43

3단계 교과 사고력 완성

평가 영역 □개념 이해력 □개념 응용력 ☑창의력 □문제 해결력

1 고대 이집트에서는 분수를 다음과 같이 표현하였다고 합니다. 다음 분수 중 가장 큰 수를 9로 나눈 몫을 구해 보세요.

고대 이집트 분수

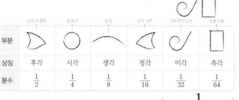

| $\frac{1}{2}$ | $\frac{1}{3}$ | $\frac{1}{4}$ | $\frac{1}{5}$ | $\frac{1}{6}$ | $\frac{1}{7}$ | $\frac{1}{8}$ | $\frac{1}{9}$ | $\frac{1}{10}$ |

($\frac{1}{18}$)

❖ 단위분수는 분모가 작을수록 큰 수이므로 가장 큰 수는 $\frac{1}{2}$입니다.

→ $\frac{1}{2} \div 9 = \frac{1}{2} \times \frac{1}{9} = \frac{1}{18}$

평가 영역 □개념 이해력 □개념 응용력 ☑창의력 □문제 해결력

2 이집트 신화에 나오는 호루스의 눈은 모두 여섯 부분으로 되어 있는데 각각의 부분은 다음과 같은 상징과 분수를 나타낸다고 합니다. 다음 분수 중 가장 작은 수를 2로 나눈 몫을 구해 보세요.

부분						
상징	후각	시각	생각	청각	미각	촉각
분수	$\frac{1}{2}$	$\frac{1}{4}$	$\frac{1}{8}$	$\frac{1}{16}$	$\frac{1}{32}$	$\frac{1}{64}$

($\frac{1}{128}$)

❖ 단위분수는 분모가 클수록 작은 수이므로 가장 작은 수는 $\frac{1}{64}$입니다.

→ $\frac{1}{64} \div 2 = \frac{1}{64} \times \frac{1}{2} = \frac{1}{128}$

44 · Run-A 6-1

평가 영역 □개념 이해력 □개념 응용력 ☑창의력 □문제 해결력

3 북두칠성을 이용하면 북극성을 찾을 수 있다고 합니다. 북두칠성의 별 ㉮와 ㉯ 사이의 거리의 5배가 되는 곳에 북극성이 있을 때 별 ㉮와 ㉯ 사이의 거리는 몇 km인지 기약분수로 나타내어 보세요.

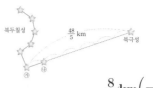

$\frac{8}{5}$ km $\left(= 1\frac{3}{5}$ km $\right)$

❖ 별 ㉮와 ㉯ 사이의 거리는 별 ㉮와 북극성 사이의 거리를 6등분한 것 중의 1입니다.

→ $\frac{48}{5} \div 6 = \frac{48 \div 6}{5} = \frac{8}{5} = 1\frac{3}{5}$ (km)

평가 영역 □개념 이해력 □개념 응용력 □창의력 ☑문제 해결력

4 유리병 실로폰은 물의 높이가 높을수록 낮은 음을 낸다고 합니다. 가장 낮은 음을 내는 유리병의 물의 높이는 가장 높은 음을 내는 유리병의 물의 높이의 몇 배인지 기약분수로 나타내어 보세요.

2 cm   3 cm $4\frac{1}{2}$ cm $5\frac{1}{3}$ cm

$\frac{8}{3}$배 $\left(= 2\frac{2}{3}$배 $\right)$

❖ 가장 낮은 음을 내는 유리병의 물의 높이: $5\frac{1}{3}$ cm,

가장 높은 음을 내는 유리병의 물의 높이: 2 cm

→ $5\frac{1}{3} \div 2 = \frac{16}{3} \div 2 = \frac{16 \div 2}{3} = \frac{8}{3} = 2\frac{2}{3}$ (배)

1. 분수의 나눗셈 · 45

종합평가

1. 분수의 나눗셈

맞은 개수

1 나눗셈의 몫을 분수로 나타내어 보세요.

(1) $1 \div 5 = \frac{1}{5}$ (2) $7 \div 11 = \frac{7}{11}$

❖ $1 \div ■ = \frac{1}{■}$, $● \div ■ = \frac{●}{■}$

2 $3 \div 4$를 그림으로 나타내고 □ 안에 알맞은 수를 써넣으세요.

[예]

$3 \div 4 = \frac{3}{4}$

❖ $\frac{1}{4}$이 3개이므로 $3 \div 4 = \frac{3}{4}$입니다.

3 $19 \div 6$의 몫을 분수로 나타내려고 합니다. □ 안에 알맞은 수를 써넣으세요.

$19 \div 6 = 3 \cdots$ 1 . 나머지 1 을/를 6으로 나누면 $\frac{1}{6}$입니다.

따라서 $19 \div 6 = 3\frac{1}{6} = \frac{19}{6}$입니다.

4 나눗셈의 몫을 분수로 나타낸 것입니다. □ 안에 알맞은 수를 써넣으세요.

(1) $15 \div 4 = \frac{15}{4}$ (2) $10 \div 3 = \frac{10}{3}$

❖ $▲ \div ● = \frac{▲}{●}$

46 · Run-A 6-1

5 관계있는 것끼리 선으로 이어 보세요.

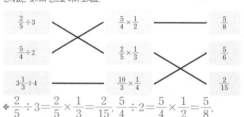

$\frac{2}{5} \div 3$		$\frac{5}{4} \times \frac{1}{2}$		$\frac{5}{8}$
$\frac{5}{4} \div 2$		$\frac{2}{5} \times \frac{1}{3}$		$\frac{5}{6}$
$3\frac{1}{3} \div 4$		$\frac{10}{3} \times \frac{1}{4}$		$\frac{2}{15}$

❖ $\frac{2}{5} \div 3 = \frac{2}{5} \times \frac{1}{3} = \frac{2}{15}$, $\frac{5}{4} \div 2 = \frac{5}{4} \times \frac{1}{2} = \frac{5}{8}$,

$3\frac{1}{3} \div 4 = \frac{10}{3} \div 4 = \frac{10}{3} \times \frac{1}{4} = \frac{5}{6}$

6 $2\frac{3}{4} \div 5$를 두 가지 방법으로 계산하려고 합니다. □ 안에 알맞은 수를 써넣으세요.

[방법1] $2\frac{3}{4} \div 5 = \frac{11}{4} \div 5 = \frac{55}{20} \div 5 = \frac{55 \div 5}{20} = \frac{11}{20}$

[방법2] $2\frac{3}{4} \div 5 = \frac{11}{4} \div 5 = \frac{11}{4} \times \frac{1}{5} = \frac{11}{20}$

❖ [방법1] 대분수를 가분수로 바꾸고 분수의 분자를 자연수의 배수인 수로 바꾸어 계산합니다.

[방법2] 대분수를 가분수로 바꾸고 나눗셈을 곱셈으로 나타내어 계산합니다.

7 빈 곳에 알맞은 수를 써넣으세요.

(1)

$5\frac{3}{8}$ ÷4 $\frac{43}{32} \left(= 1\frac{11}{32}\right)$

(2)

$8\frac{5}{7}$ ÷5 $\frac{61}{35} \left(= 1\frac{26}{35}\right)$

❖ (1) $5\frac{3}{8} \div 4 = \frac{43}{8} \div 4 = \frac{43}{8} \times \frac{1}{4} = \frac{43}{32} = 1\frac{11}{32}$

(2) $8\frac{5}{7} \div 5 = \frac{61}{7} \div 5 = \frac{61}{7} \times \frac{1}{5} = \frac{61}{35} = 1\frac{26}{35}$

1. 분수의 나눗셈 · 47

🐤 종합평가 1. 분수의 나눗셈 ✿ 정답과 풀이 p.12

8 잘못 계산한 부분을 찾아 바르게 계산해 보세요.

$$\frac{5}{7} \div 4 = \frac{5}{7} \times 4 = \frac{20}{7} = 2\frac{6}{7}$$

(바른 계산) (예) $\frac{5}{7} \div 4 = \frac{5}{7} \times \frac{1}{4} = \frac{5}{28}$

✿ 분수의 나눗셈을 분수의 곱셈으로 나타내어 계산할 때는

÷(자연수)를 $\times \frac{1}{(자연수)}$로 바꾼 다음 계산합니다.

9 나눗셈의 몫을 비교하여 ○ 안에 >, =, <를 알맞게 써넣으세요.

$$3\frac{3}{5} \div 6 \,\,\textless\,\, 2\frac{2}{5} \div 3$$

✿ $3\frac{3}{5} \div 6 = \frac{18}{5} \div 6 = \frac{18 \div 6}{5} = \frac{3}{5}$,

$2\frac{2}{5} \div 3 = \frac{12}{5} \div 3 = \frac{12 \div 3}{5} = \frac{4}{5}$ ➡ $\frac{3}{5} < \frac{4}{5}$

10 가장 큰 수를 가장 작은 수로 나눈 몫을 기약분수로 나타내어 보세요.

$$\boxed{4 \qquad \frac{16}{3} \qquad 4\frac{1}{5}}$$

($\frac{4}{3}\left(=1\frac{1}{3}\right)$)

✿ $\frac{16}{3} = 5\frac{1}{3}$이므로 가장 큰 수는 $\frac{16}{3}$이고 가장 작은 수는 4입니다.

➡ $\frac{16}{3} \div 4 = \frac{16 \div 4}{3} = \frac{4}{3} = 1\frac{1}{3}$

11 식혜 $1\frac{1}{4}$ L를 크기가 같은 컵 3개에 똑같이 나누어 모두 담았습니다. 컵 한 개에 담은 식혜는 몇 L인지 식을 쓰고 답을 구해 보세요.

(식) $1\frac{1}{4} \div 3 = \frac{5}{12}$

(답) $\frac{5}{12}$ L

✿ $1\frac{1}{4} \div 3 = \frac{5}{4} \div 3 = \frac{5}{4} \times \frac{1}{3} = \frac{5}{12}$ (L)

12 어떤 수에 3을 곱하면 $2\frac{4}{7}$가 됩니다. 어떤 수를 기약분수로 나타내어 보세요.

($\frac{6}{7}$)

✿ 어떤 수를 □라 하면 □×3 = $2\frac{4}{7}$입니다.

$$□ = 2\frac{4}{7} \div 3 = \frac{18}{7} \div 3 = \frac{18 \div 3}{7} = \frac{6}{7}$$

13 수 카드 3장을 한 번씩 모두 사용하여 계산 결과가 가장 큰 (가분수)÷(자연수)를 만들고 계산해 보세요.

✿ ■ ÷ ▲는 ■ × $\frac{1}{▲}$로 ➡ $\frac{7}{5} \div 6$ 또는 $\frac{7}{6} \div 5$

계산할 수 있습니다. 나눗셈 결과가 가장 클 때는

($\frac{7}{30}$)

■와 ▲의 곱이 가장 작을 때이므로 $\frac{7}{5} \div 6$ 또는 $\frac{7}{6} \div 5$로 만들어야 합니다.

➡ $\frac{7}{5} \div 6 = \frac{7}{5} \times \frac{1}{6} = \frac{7}{30}$ 또는 $\frac{7}{6} \div 5 = \frac{7}{6} \times \frac{1}{5} = \frac{7}{30}$

14 철사 $\frac{4}{5}$ m를 겹치지 않게 모두 사용하여 크기가 똑같은 정사각형 모양을 2개 만들었습니다. 이 정사각형의 한 변의 길이는 몇 m인지 기약분수로 나타내어 보세요.

✿ 정사각형 한 개를 만드는 데 사용한 철사의 길이는 ($\frac{1}{10}$ m)

$\frac{4}{5} \div 2 = \frac{4 \div 2}{5} = \frac{2}{5}$ (m)입니다. 정사각형은 네 변의 길이가 모두 같으므로

이 정사각형의 한 변의 길이는 $\frac{2}{5} \div 4 = \frac{2}{5} \times \frac{1}{4} = \frac{1}{10}$ (m)입니다.

15 밑변의 길이가 6 cm이고, 넓이가 $8\frac{3}{4}$ cm³인 평행사변형의 높이는 몇 cm인지 구해 보세요.

넓이: $8\frac{3}{4}$ cm²

6 cm

$\frac{35}{24}$ cm$\left(=1\frac{11}{24}\right.$ cm$\left.\right)$

✿ 높이를 □ cm라 하면 6×□ = $8\frac{3}{4}$입니다.

➡ □ = $8\frac{3}{4} \div 6 = \frac{35}{4} \div 6 = \frac{35}{4} \times \frac{1}{6} = \frac{35}{24} = 1\frac{11}{24}$

🐤 종합평가 1. 분수의 나눗셈 ✿ 정답과 풀이 p.12

16 □ 안에 들어갈 수 있는 자연수를 모두 구해 보세요.

$$2\frac{5}{8} \div 4 < □ < 10\frac{3}{4} \div 3$$

✿ $2\frac{5}{8} \div 4 = \frac{21}{8} \div 4 = \frac{21}{8} \times \frac{1}{4} = \frac{21}{32}$, (1, 2, 3)

$10\frac{3}{4} \div 3 = \frac{43}{4} \div 3 = \frac{43}{4} \times \frac{1}{3} = \frac{43}{12} = 3\frac{7}{12}$

➡ $\frac{21}{32} < □ < 3\frac{7}{12}$이므로 □ 안에 들어갈 수 있는 자연수는 1, 2, 3입니다.

17 ▲= $7\frac{1}{5}$, ■=9일 때 다음 식의 값을 기약분수로 나타내어 보세요.

$$\frac{▲}{■} \div ■$$

($\frac{4}{45}$)

✿ $\frac{▲}{■} = ▲ \div ■ = 7\frac{1}{5} \div 9 = \frac{36}{5} \div 9 = \frac{36 \div 9}{5} = \frac{4}{5}$입니다.

➡ $\frac{▲}{■} \div ■ = \frac{4}{5} \div 9 = \frac{4}{5} \times \frac{1}{9} = \frac{4}{45}$

18 $20\frac{2}{5}$ L들이 욕조에 물이 $13\frac{3}{4}$ L 들어 있습니다. 이 욕조에 물을 가득 채우려면 3 L들이 그릇으로 적어도 몇 번 부어야 하는지 구해 보세요.

✿ (욕조에 더 채워야 하는 물의 양) (3번)

$= 20\frac{2}{5} - 13\frac{3}{4} = 20\frac{8}{20} - 13\frac{15}{20} = 19\frac{28}{20} - 13\frac{15}{20} = 6\frac{13}{20}$ (L)

➡ $6\frac{13}{20} \div 3 = \frac{133}{20} \div 3 = \frac{133}{20} \times \frac{1}{3} = \frac{133}{60} = 2\frac{13}{60}$이므로 적어도 3번 부어야 합니다.

19 수직선에서 $\frac{1}{3}$과 $\frac{7}{9}$ 사이를 4등분 하였습니다. ㉠에 알맞은 수를 구해 보세요.

$$\frac{1}{3} \qquad\qquad ㉠ \qquad\qquad \frac{7}{9}$$

✿ $\left(\frac{1}{3}$과 $\frac{7}{9}$ 사이의 크기$\right) = \frac{7}{9} - \frac{1}{3} = \frac{7}{9} - \frac{3}{9} = \frac{4}{9}$, ($\frac{5}{9}$)

(눈금 한 칸의 크기) $= \frac{4}{9} \div 4 = \frac{4 \div 4}{9} = \frac{1}{9}$,

$\left(\frac{1}{3}$과 ㉠ 사이의 크기$\right) = \frac{1}{9} \times 2 = \frac{2}{9}$, ㉠ = $\frac{1}{3} + \frac{2}{9} = \frac{3}{9} + \frac{2}{9} = \frac{5}{9}$

✦ 특강 창의·융합 사고력 ✿ 정답과 풀이 p.12

1 다음은 참치 주먹밥 3인분과 야채 주먹밥 6인분을 만드는 데 필요한 재료의 양입니다. 두 종류의 주먹밥을 1인분씩 만드는 데 필요한 재료의 양을 각각 구해 표의 빈칸에 써넣으세요.

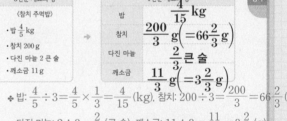

3인분 재료의 양 (참치 주먹밥)	1인분 재료의 양	
밥 $\frac{4}{5}$ kg	밥	$\frac{4}{15}$ kg
참치 200 g	참치	$\frac{200}{3}$ g $\left(=66\frac{2}{3}$ g$\right)$
다진 마늘 2 큰 술	다진 마늘	$\frac{2}{3}$ 큰 술
깨소금 11 g	깨소금	$\frac{11}{3}$ g $\left(=3\frac{2}{3}$ g$\right)$

✿ 밥: $\frac{4}{5} \div 3 = \frac{4}{5} \times \frac{1}{3} = \frac{4}{15}$ (kg), 참치: $200 \div 3 = \frac{200}{3} = 66\frac{2}{3}$ (g),

다진 마늘: $2 \div 3 = \frac{2}{3}$ (큰 술), 깨소금: $11 \div 3 = \frac{11}{3} = 3\frac{2}{3}$ (g)

6인분 재료의 양 (야채 주먹밥)	1인분 재료의 양	
밥 $1\frac{3}{10}$ kg	밥	$\frac{13}{60}$ kg
당근 $2\frac{3}{4}$개	당근	$\frac{11}{24}$개
양파 1개	양파	$\frac{1}{6}$개
다진 파 5 큰 술	다진 파	$\frac{5}{6}$ 큰 술
참기름 3 큰 술	참기름	$\frac{3}{6}$ 큰 술 $\left(=\frac{1}{2}$ 큰 술$\right)$

✿ 밥: $1\frac{3}{10} \div 6 = \frac{13}{10} \div 6 = \frac{13}{10} \times \frac{1}{6} = \frac{13}{60}$ (kg),

당근: $2\frac{3}{4} \div 6 = \frac{11}{4} \div 6 = \frac{11}{4} \times \frac{1}{6} = \frac{11}{24}$ (개), 양파: $1 \div 6 = \frac{1}{6}$ (개),

다진 파: $5 \div 6 = \frac{5}{6}$ (큰 술), 참기름: $3 \div 6 = \frac{3}{6} = \frac{1}{2}$ (큰 술)

② 각기둥과 각뿔

기둥 모양, 뿔 모양

생활 주변의 여러 건축물, 가전제품, 가구 등에서 다양한 기둥 모양, 뿔 모양의 입체도형을 찾아볼 수 있습니다.
아래의 석가탑과 피라미드 모양을 보고 어떤 입체도형을 찾아볼 수 있는지 알아볼까요?

☆ 석가탑

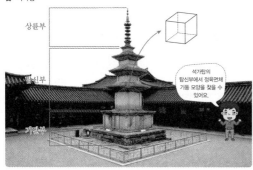

석가탑의 탑신부에서 정육면체 기둥 모양을 찾을 수 있어요.

☆ 피라미드

▼ 출처 ©Waj, shutterstock

피라미드는 바닥이 사각형이고 4개의 삼각형으로 둘러싸인 뿔 모양 같이 생겼어요.

☆ 전개도

입체도형의 모서리를 잘라서 평면 위에 펼쳐 놓은 그림을 입체도형의 전개도라고 합니다.
전개도를 접었을 때 맞닿는 선분의 길이는 같아야 하고 겹치는 면이 없어야 합니다.
전개도는 어느 모서리를 자르는가에 따라 여러 가지 모양이 나올 수 있습니다.
전개도에서 잘린 모서리는 실선으로, 잘리지 않은 모서리는 점선으로 그립니다.

아래 문제에서 붙임딱지를 이용하여 전개도를 만들 때 실선과 점선을 구분하지 않고 붙임딱지를 붙여 나타내도록 해요.

다음은 석가탑 탑신부의 기둥 모양의 입체도형을 펼쳐 놓은 것입니다. 붙임딱지를 이용하여 석가탑 탑신부의 기둥과 같은 모양을 접을 수 있는 다른 전개도를 만들어 보세요.

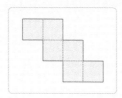 →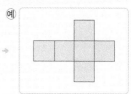
예

다음은 피라미드 모양의 입체도형을 펼쳐 놓은 것입니다. 붙임딱지를 이용하여 피라미드와 같은 모양을 접을 수 있는 다른 전개도를 만들어 보세요.

 →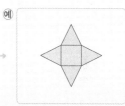
예

1단계 교과서 개념 잡기

개념 ① 각기둥 알아보기

· 각기둥: 등과 같은 입체도형

➡ 모든 면이 다각형이고, 서로 평행한 두 면이 합동인 입체도형

 다각형이 아닌 면이 있으므로 각기둥이 아닙니다.

 서로 평행한 두 면이 합동이 아니므로 각기둥이 아닙니다.

개념 ② 각기둥의 밑면과 옆면

· 밑면: 서로 평행하고 합동인 두 면
  ➡ 나머지 면들과 모두 수직으로 만납니다.
· 옆면: 두 밑면과 만나는 면
  ➡ 모두 직사각형입니다.

입체도형의 겨냥도를 그릴 때 보이는 모서리는 실선으로, 보이지 않는 모서리는 점선으로 나타내요.

밑면	면 ㄱㄴㄷㄹ, 면 ㅁㅂㅅㅇ
옆면	면 ㄴㅂㅅㄷ, 면 ㄷㅅㅇㄹ, 면 ㄹㅇㅁㄱ, 면 ㄱㅁㅂㄴ

· 각기둥은 서로 평행한 두 면이 합동이고, 다각형으로 이루어진 입체도형입니다.
· 각기둥의 밑면은 항상 2개입니다.
· 각기둥의 옆면의 수는 한 밑면의 변의 수와 같습니다.

참고 평면도형과 입체도형

평면도형	입체도형
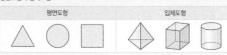	

---

1 서로 평행하고 합동인 두 다각형이 있는 입체도형을 모두 찾아 기호를 써 보세요.

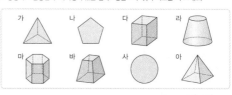

가 나 다 라
마 바 사 아

(**다, 마**)

✤ 서로 평행한 두 면이 있는 입체도형: 다, 라, 마, 바
➡ 서로 평행하고 합동인 두 다각형이 있는 입체도형: 다, 마

2-1 각기둥의 밑면을 모두 찾아 색칠해 보세요.

(1)   (2)

✤ 서로 평행하고 합동인 두 면을 찾아 색칠합니다.

2-2 각기둥을 보고 물음에 답하세요.

(1) 밑면을 모두 찾아 써 보세요.

면 ㄱㄴㄷ, 면 ㄹㅁㅂ

(2) 옆면을 모두 찾아 써 보세요.

면 ㄱㄹㅁㄴ, 면 ㄴㅁㅂㄷ, 면 ㄷㅂㄹㄱ

✤ (1) 서로 평행하고 합동이면서 나머지 면들과 수직으로 만나는 두 면을 찾아 씁니다.
(2) 밑면에 수직인 면을 모두 찾아 씁니다.

2 단원 교과서

1단계 교과서 개념 잡기

정답과 풀이 p.14

개념 3 각기둥의 이름

· 각기둥은 밑면의 모양이 삼각형, 사각형, 오각형······일 때 삼각기둥, 사각기둥, 오각기둥······이라고 합니다.

삼각형 / 사각형 / 오각형

삼각기둥 / 사각기둥 / 오각기둥

개념 4 각기둥의 구성 요소

· 모서리: 면과 면이 만나는 선분
· 꼭짓점: 모서리와 모서리가 만나는 점
· 높이: 두 밑면 사이의 거리

각기둥의 높이를 재는 방법	옆면끼리 만나서 생긴 모서리의 길이를 잽니다.
	두 밑면의 대응점을 이은 선분의 길이를 잽니다.

· (각기둥의 꼭짓점의 수)=(한 밑면의 변의 수)×2
· (각기둥의 면의 수)=(한 밑면의 변의 수)+2
· (각기둥의 모서리의 수)=(한 밑면의 변의 수)×3

┌ (꼭짓점의 수)=▲×2
▲각기둥 ┤ (면의 수)=▲+2
└ (모서리의 수)=▲×3

각기둥	삼각기둥	사각기둥	오각기둥
밑면의 모양	삼각형	사각형	오각형
한 밑면의 변의 수(개)	3	4	5
꼭짓점의 수(개)	3×2=6	4×2=8	5×2=10
면의 수(개)	3+2=5	4+2=6	5+2=7
모서리의 수(개)	3×3=9	4×3=12	5×3=15

개념 확인 문제

3-1 맞으면 ○표, 틀리면 ×표 하세요.

> 각기둥은 옆면의 모양에 따라 이름이 정해집니다.

(×)

❖ 각기둥은 밑면의 모양에 따라 이름이 정해집니다.

3-2 각기둥을 보고 표를 완성해 보세요.

각기둥		
밑면의 모양	삼각형	오각형
옆면의 모양	직사각형	직사각형
각기둥의 이름	삼각기둥	오각기둥

4-1 각기둥의 높이를 잴 수 있는 모서리를 모두 찾아 ○표 하세요.

| 모서리 ㄷㄹ | 모서리 ㄴㅂ | 모서리 ㅂㅅ |
| 모서리 ㄱㅁ | 모서리 ㅁㅂ | 모서리 ㄷㅅ |

❖ 각기둥의 높이는 합동인 두 밑면의 대응점을 이은 선분의 길이와 같습니다.

➜ 모서리 ㄱㅁ, 모서리 ㄴㅂ, 모서리 ㄷㅅ, 모서리 ㄹㅇ

4-2 각기둥을 보고 표를 완성해 보세요.

한 밑면의 변의 수(개)	6
꼭짓점의 수(개)	12
면의 수(개)	8
모서리의 수(개)	18

➜ 육각기둥의 한 밑면의 변의 수는 6개, 꼭짓점의 수는 6×2=12(개), 면의 수는 6+2=8(개), 모서리의 수는 6×3=18(개)입니다.

1단계 교과서 개념 잡기

정답과 풀이 p.14

개념 5 각기둥의 전개도

· 각기둥의 전개도: 각기둥의 모서리를 잘라서 평면 위에 펼쳐 놓은 그림

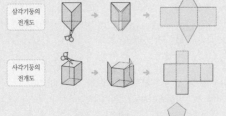

삼각기둥의 전개도

사각기둥의 전개도

오각기둥의 전개도

삼각기둥의 전개도 ➜ 밑면: 삼각형 2개, 옆면: 직사각형 3개
사각기둥의 전개도 ➜ 밑면: 사각형 2개, 옆면: 직사각형 4개
오각기둥의 전개도 ➜ 밑면: 오각형 2개, 옆면: 직사각형 5개

★각기둥의 전개도
밑면: ★각형 2개
옆면: 직사각형 ★개

개념 6 각기둥의 전개도 그리기

각기둥의 전개도를 그릴 때에는 잘린 모서리는 실선으로, 잘리지 않은 모서리는 점선으로 그립니다.

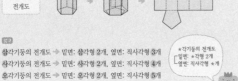

1 cm
1 cm
5 cm
4 cm
4 cm   3 cm

개념 확인 문제

5-1 그림과 같은 전개도를 접으면 어떤 도형이 될까요?

(1)   (2)

(사각기둥)   (육각기둥)

❖ (1) 밑면의 모양이 사각형이고 옆면이 직사각형이므로 사각기둥이 됩니다.
(2) 밑면의 모양이 육각형이고 옆면이 직사각형이므로 육각기둥이 됩니다.

5-2 삼각기둥을 만들 수 있는 전개도에 ○표 하세요.

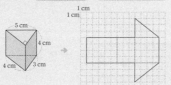

(   )   (○)

❖ 왼쪽 전개도를 접었을 때 두 면이 서로 겹쳐지므로 삼각기둥을 만들 수 없습니다.

6 서로 다른 2가지 모양의 사각기둥 전개도를 그리려고 합니다. 전개도를 완성해 보세요.

예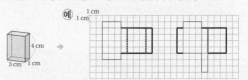

1 cm
1 cm
4 cm
3 cm   1 cm

❖ 사각기둥의 전개도를 그리려면 밑면인 사각형 2개, 옆면인 직사각형 4개를 그려야 합니다.

1 교과서 개념 잡기

정답과 풀이 p.15

개념 **7** 각뿔 알아보기

• 각뿔: , , , 등과 같은 입체도형

→ 바닥에 놓인 면이 다각형이고 옆으로 둘러싼 면이 모두 삼각형인 입체도형

개념 **8** 각뿔의 밑면과 옆면

옆면

• 밑면: 각뿔에서 면 ㄴㄷㄹㅁ과 같은 면

• 옆면: 면 ㄱㄴㄷ, 면 ㄱㄷㄹ, 면 ㄱㄹㅁ, 면 ㄱㅁㄴ과 같이 밑면과 만나는 면

→ 모두 삼각형입니다.

개념 **9** 각뿔의 이름과 구성 요소

• 각뿔은 밑면의 모양이 삼각형, 사각형, 오각형……일 때, 삼각뿔, 사각뿔, 오각뿔……이라고 합니다.

• 모서리: 면과 면이 만나는 선분

• 꼭짓점: 모서리와 모서리가 만나는 점

• 각뿔의 꼭짓점: 꼭짓점 중에서도 옆면이 모두 만나는 점

• 높이: 각뿔의 꼭짓점에서 밑면에 수직인 선분의 길이

각뿔의 꼭짓점

모서리

높이

꼭짓점

> • (각뿔의 꼭짓점의 수)=(밑면의 변의 수)+1
> • (각뿔의 면의 수)=(밑면의 변의 수)+1
> • (각뿔의 모서리의 수)=(밑면의 변의 수)×2
>
> ┌각뿔┐ (꼭짓점의 수)=▲+1
> └────┘ (면의 수)=▲+1
>   (모서리의 수)=▲×2

각뿔	삼각뿔	사각뿔	오각뿔
밑면의 모양	삼각형	사각형	오각형
밑면의 변의 수(개)	3	4	5
꼭짓점의 수(개)	3+1=4	4+1=5	5+1=6
면의 수(개)	3+1=4	4+1=5	5+1=6
모서리의 수(개)	3×2=6	4×2=8	5×2=10

개념 확인 문제

7 입체도형을 보고 물음에 답하세요.

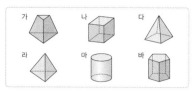

가 나 다
라 마 바

(1) 각기둥을 모두 찾아 기호를 써 보세요.

(**나, 바**)

✥ 서로 평행하고 합동인 두 다각형이 있는 입체도형: 나, 바

(2) 각뿔을 모두 찾아 기호를 써 보세요.

(**다, 라**)

✥ 바닥에 놓인 면이 다각형이고 옆으로 둘러싼 면이 모두 삼각형인 입체도형: 다, 라

8 각뿔을 보고 □ 안에 각 부분의 이름을 써넣으세요.

각뿔의 꼭짓점

모서리

밑면

✥ • 모서리: 면과 면이 만나는 선분

• 각뿔의 꼭짓점: 꼭짓점 중에서도 옆면이 모두 만나는 점

9 각뿔을 보고 표를 완성해 보세요.

밑면의 변의 수(개)	**6**
꼭짓점의 수(개)	**7**
면의 수(개)	**7**
모서리의 수(개)	**12**

✥ 육각뿔의 밑면의 변의 수는 6개, 꼭짓점의 수는 6+1=7(개), 면의 수는 6+1=7(개), 모서리의 수는 6×2=12(개)입니다.

	꼭짓점 수	면 수	모서리 수
●각뿔	●+1	●+1	●×2
■각기둥	■×2	■+2	■×3

PLAY 교과서 개념 스토리 거울에 비친 보석 알기

이 방 안의 거울에는 각뿔 모양의 보석이 보여집니다. 거울에 알맞은 보석을 붙여 보세요.

- 꼭짓점이 6개인 보석을 보여 주렴. ●+1=6, ●=5 → 오각뿔
- 면이 5개인 보석을 보고 싶어. ●+1=5, ●=4 → 사각뿔
- 모서리가 6개인 보석을 보여 다오. ●×2=6, ●=3 → 삼각뿔
- 꼭짓점이 8개인 보석을 보여 주렴. ●+1=8, ●=7 → 칠각뿔
- 면이 7개인 보석을 보고 싶어. ●+1=7, ●=6 → 육각뿔
- 모서리가 16개인 보석을 보여 다오. ●×2=16, ●=8 → 팔각뿔

64 · Run-A 6-1

이 방 안의 거울에는 각기둥 모양의 보석이 보여집니다. 거울에 알맞은 보석을 붙여 보세요.

- 면이 6개인 보석을 보여 주렴. ■+2=6, ■=4 → 사각기둥
- 모서리가 9개인 보석을 보여 다오. ■×3=9, ■=3 → 삼각기둥
- 꼭짓점이 10개인 보석을 보고 싶어. ■×2=10, ■=5 → 오각기둥
- 면이 9개인 보석을 보여 주렴. ■+2=9, ■=7 → 칠각기둥
- 모서리가 18개인 보석을 보여 다오. ■×3=18, ■=6 → 육각기둥
- 꼭짓점이 16개인 보석을 보고 싶어. ■×2=16, ■=8 → 팔각기둥

2. 각기둥과 각뿔 65

정답과 풀이 p.16

2단계 교과서 개념 다지기

개념1 각기둥 알아보기

01 각기둥을 보고 물음에 답하세요.

(1) 각기둥에서 두 밑면과 만나는 면은 모두 몇 개일까요?
(**5개**)

(2) 각기둥에서 옆면의 모양은 어떤 도형일까요?
(**직사각형**)

❖ (1) 두 밑면과 만나는 면은 옆면이므로 옆면은 모두 5개입니다.
(2) 각기둥의 옆면은 모두 직사각형입니다.

02 각기둥의 겨냥도를 완성해 보세요.

❖ 보이는 모서리는 실선으로, 보이지 않는 모서리는 점선으로 나타내어 완성합니다.

03 각기둥을 보고 밑면에 수직인 면은 몇 개인지 써 보세요.

(1) 　(2)

(**3개**)　(**6개**)

❖ 각기둥에서 밑면에 수직인 면은 옆면입니다.

66 · Run-A 6-1

개념2 각기둥의 구성 요소

04 각기둥의 높이는 몇 cm일까요?

(1) 　(2)

(**6 cm**)　(**7 cm**)

❖ 높이는 두 밑면 사이의 거리입니다.

05 각기둥의 겨냥도에서 모서리는 파란색으로, 꼭짓점은 빨간색으로 모두 표시해 보세요.

(1) 　(2)

❖ 면과 면이 만나는 선분을 찾아 파란색으로, 모서리와 모서리가 만나는 점을 찾아 빨간색으로 표시합니다.

06 표를 완성해 보세요.

각기둥	면의 수(개)	꼭짓점의 수(개)	모서리의 수(개)
삼각기둥	5	6	9
사각기둥	6	8	12
오각기둥	7	10	15

■각기둥	면의 수(■+2)	꼭짓점의 수(■×2)	모서리의 수(■×3)
삼각기둥	3+2=5	3×2=6	3×3=9
사각기둥	4+2=6	4×2=8	4×3=12
오각기둥	5+2=7	5×2=10	5×3=15

2 교과서 개념 다지기

정답과 풀이 p.17

개념3 각기둥의 전개도

07 전개도를 접어서 각기둥을 만들었습니다. □ 안에 알맞은 수를 써넣으세요.

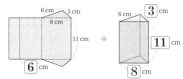

❖ 전개도를 접었을 때 맞닿는 선분의 길이는 같습니다.

08 어떤 각기둥의 전개도에서 옆면만 나타낸 것입니다. 이 각기둥의 밑면의 모양을 찾아 기호를 써 보세요.

(㉢)

❖ 옆면이 5개이므로 밑면의 모양은 오각형입니다.

09 전개도를 보고 물음에 답하세요.

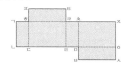

(1) 전개도를 접었을 때 점 ㅌ과 만나는 점을 찾아 써 보세요.

(점 ㅊ)

❖ 전개도를 접었을 때 점 ㅌ과 만나는 점은 점 ㅊ입니다.

(2) 전개도를 접었을 때 선분 ㄷㄹ과 맞닿는 선분을 찾아 써 보세요.

(선분 ㅅㅂ)

❖ 전개도를 접었을 때 점 ㄷ과 만나는 점은 점 ㅅ이고
점 ㄹ과 만나는 점은 점 ㅂ이므로
선분 ㄷㄹ과 맞닿는 선분은 선분 ㅅㅂ입니다.

68 · Run - Ⓐ 6-1

개념4 각기둥의 전개도 그리기

10 육각기둥의 겨냥도를 보고 육각기둥의 전개도를 완성해 보세요.

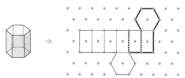

11 삼각기둥의 전개도를 그려 보세요.

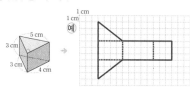

12 사각기둥의 전개도를 그려 보세요.

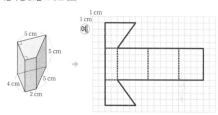

2. 각기둥과 각뿔 · 69

---

2 교과서 개념 다지기

정답과 풀이 p.17

개념5 각뿔 알아보기

13 각뿔을 보고 물음에 답하세요.

(1) 각뿔에서 밑면과 만나는 면을 무엇이라고 할까요?

(옆면)

(2) 각뿔에서 옆면의 모양은 어떤 도형일까요?

(삼각형)

❖ 각뿔에서 밑면과 만나는 면을 옆면이라 하고
옆면은 모두 삼각형입니다.

14 각뿔의 높이를 바르게 잰 것에 ○표 하세요.

( )   (○)   ( )

❖ 각뿔의 높이를 재려면 각뿔의 꼭짓점에서 밑면에 수직인 선분의 길이를 재어야 합니다.

15 각뿔의 밑면의 모양, 이름, 옆면의 모양을 왼쪽부터 차례로 알맞게 선으로 이어 보세요.

❖ 밑면의 모양이 ●각형이면 ●각뿔입니다.
각뿔의 옆면은 모두 삼각형입니다.

70 · Run - Ⓐ 6-1

개념6 각뿔의 구성 요소

16 나무판에서 찾은 도형을 밑면으로 하는 각뿔이 있습니다. 이 각뿔의 면은 모두 몇 개일까요?

(4개)

❖ 밑면의 변이 3개인 각뿔은 삼각뿔입니다.
  ➡ 삼각뿔의 면은 모두 $3+1=4$(개)입니다.

17 오른쪽과 같은 삼각형 8개를 옆면으로 하는 각뿔이 있습니다. 이 각뿔에서 꼭짓점은 모두 몇 개일까요?

(9개)

❖ 옆면이 8개인 각뿔은 팔각뿔입니다.
  ➡ 팔각뿔의 꼭짓점은 모두 $8+1=9$(개)입니다.

18 표를 완성해 보세요.

각뿔의 밑면의 모양			
각뿔의 이름	사각뿔	오각뿔	육각뿔
꼭짓점의 수(개)	5	6	7
면의 수(개)	5	6	7
모서리의 수(개)	8	10	12

●각뿔	사각뿔	오각뿔	육각뿔
꼭짓점의 수(●+1)	$4+1=5$	$5+1=6$	$6+1=7$
면의 수(●+1)	$4+1=5$	$5+1=6$	$6+1=7$
모서리의 수(●×2)	$4×2=8$	$5×2=10$	$6×2=12$

정답과 풀이 · **17**

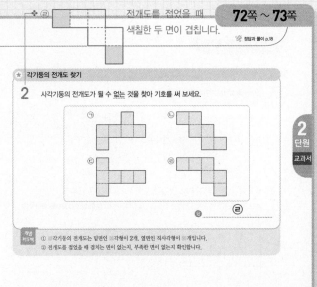

전개도를 접었을 때
색칠한 두 면이 겹칩니다.

72쪽 ~ 73쪽

정답과 풀이 p.18

3 단계 교과서 실력 다지기

★ 각기둥과 각뿔 비교하기

1 두 학생이 가리키는 입체도형의 같은 점을 모두 찾아 기호를 써 보세요.

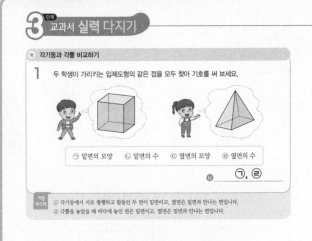

ㄱ 밑면의 모양 ㄴ 밑면의 수 ㄷ 옆면의 모양 ㄹ 옆면의 수

답 ㄱ, ㄹ

개념 피드백
① 각기둥에서 서로 평행하고 합동인 두 면이 밑면이고, 옆면은 밑면과 만나는 면입니다.
② 각뿔을 놓았을 때 바닥에 놓인 면은 밑면이고, 옆면은 밑면과 만나는 면입니다.

1-1 입체도형의 밑면과 옆면의 모양의 이름을 각각 써넣으세요.

도형	밑면의 모양	옆면의 모양
육각기둥	육각형	직사각형
칠각뿔	칠각형	삼각형

1-2 다음 설명 중 옳지 않은 것을 모두 찾아 기호를 써 보세요.

ㄱ 각뿔의 밑면은 1개, 각기둥의 밑면은 2개입니다.
ㄴ 각뿔의 밑면과 옆면은 수직으로 만납니다.
ㄷ 각기둥에서 옆면끼리 만나서 생긴 모서리의 길이는 높이입니다.
ㄹ 각기둥의 옆면은 정사각형입니다.

(ㄴ, ㄹ)

❖ ㄴ 각뿔에서 밑면과 옆면은 수직으로 만나지 않습니다.
ㄹ 각기둥의 옆면은 직사각형입니다.

72 · Run-Ⓐ 6-1

★ 각기둥의 전개도 찾기

2 사각기둥의 전개도가 될 수 없는 것을 찾아 기호를 써 보세요.

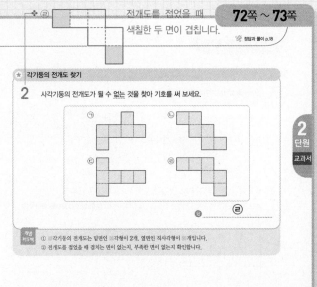

답 ㄹ

개념 피드백
① 각기둥의 전개도는 밑면인 □ 각형이 2개, 옆면인 직사각형이 □ 개입니다.
② 전개도를 접을 때 겹치는 면이 없는지, 부족한 면이 없는지 확인합니다.

2-1 접었을 때 각기둥이 되는 전개도에 ○표 하세요.

❖ 왼쪽 전개도: 옆면이 1개 부족합니다.
가운데 전개도: 겹치는 면이 있습니다.

2-2 접었을 때 오각기둥이 되는 전개도에 ○표 하세요.

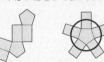

❖ 오각기둥의 옆면은 5개입니다.

2. 각기둥과 각뿔 · 73

74쪽 ~ 75쪽

3 단계 교과서 실력 다지기

정답과 풀이 p.18

★ 전개도에서 선분의 길이 구하기

3 다음은 삼각기둥의 전개도입니다. 선분 ㅈㅊ의 길이는 몇 cm일까요?

답 6 cm

개념 피드백
① 전개도를 접을 때 맞닿는 선분을 알아봅니다.
② 전개도를 접을 때 맞닿는 선분의 길이는 같습니다.

❖ 전개도를 접었을 때 선분 ㅈㅊ과 맞닿는 선분은 선분 ㄱㅊ이므로
(선분 ㅈㅊ)=(선분 ㄱㅊ)=(선분 ㄴㄷ)=6 cm입니다.

3-1 다음은 사각기둥의 전개도입니다. 선분 ㅅㅇ의 길이는 몇 cm일까요?

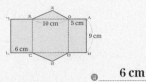

(5 cm)

❖ (선분 ㅅㅇ)=(선분 ㅁㄹ)=(선분 ㅌㅍ)=(선분 ㅎㅍ)=5 cm

3-2 삼각기둥의 전개도에서 선분 ㄴㅇ의 길이는 몇 cm일까요?

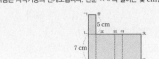

(24 cm)

❖ 선분 ㄴㅇ의 길이는 삼각기둥의 한 밑면의 둘레와 같으므로
11+4+9=24 (cm)입니다.

74 · Run-Ⓐ 6-1

★ 꼭짓점, 면, 모서리의 수 구하기

4 수가 가장 많은 것을 말한 사람의 이름을 써 보세요.

오각기둥의 꼭짓점의 수 (강호)
팔각뿔의 면의 수 (서희)
사각기둥의 모서리의 수 (예지)

답 예지

개념 피드백
① 각기둥에서 (꼭짓점의 수)=(한 밑면의 변의 수)×2, (모서리의 수)=(한 밑면의 변의 수)×3입니다.
② 각뿔에서 (면의 수)=(밑면의 변의 수)+1입니다.

❖ 강호: 5×2=10, 서희: 8+1=9, 예지: 4×3=12

4-1 수를 비교하여 ○ 안에 >, =, <를 알맞게 써넣으세요.

(1) 오각뿔의 모서리의 수 ＞ 사각기둥의 꼭짓점의 수

(2) 구각기둥의 면의 수 ＝ 십각뿔의 면의 수

❖ (1) (오각뿔의 모서리의 수)=5×2=10 ＞ (사각기둥의 꼭짓점의 수)=4×2=8
(2) (구각기둥의 면의 수)=9+2=11 ＝ (십각뿔의 면의 수)=10+1=11

4-2 수가 적은 것부터 차례로 기호를 써 보세요.

ㄱ 육각뿔의 꼭짓점의 수 ㄴ 삼각뿔의 모서리의 수
ㄷ 십이각뿔의 면의 수 ㄹ 칠각뿔의 꼭짓점의 수

(ㄱ, ㄴ, ㄷ, ㄹ)

❖ ㄱ 6+1=7
ㄴ 3×3=9
ㄷ 12+1=13 → 7<9<13<14
ㄹ 7×2=14

2. 각기둥과 각뿔 · 75

❖ 전개도의 둘레를 보면 3 cm인 선분이 4개, 5 cm인 선분이
4개, 7 cm인 선분이 2개이므로 $3 \times 4 + 5 \times 4 + 7 \times 2$
$= 12 + 20 + 14 = 46$ (cm)입니다.

3 교과서 실력 다지기

★ 전개도의 둘레의 길이 구하기

5 삼각기둥의 전개도를 그린 것입니다. 이 전개도의 둘레의 길이는 몇 cm일까요?

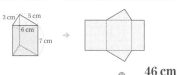

답 **46 cm**

개념 피드백
① 전개도를 접었을 때 맞닿는 선분의 길이는 같습니다.
② 전개도의 둘레의 길이는 전개도에서 실선으로 된 선분의 길이를 모두 더해서 구합니다.

5-1 각 모서리의 길이가 4 cm로 모두 같은 사각기둥의 전개도입니다. 이 전개도의 둘레의 길이는 몇 cm일까요?

❖ 전개도의 둘레는 사각기둥의 한 모서리의 (**56 cm**)
길이의 14배와 같으므로 $4 \times 14 = 56$ (cm)입니다.

5-2 밑면이 정오각형인 각기둥의 전개도입니다. 이 전개도의 둘레의 길이는 몇 cm일까요?

(**94 cm**)

❖ 전개도의 둘레를 보면 7 cm인 선분이 10개, 3 cm인 선분이
8개이므로 $7 \times 10 + 3 \times 8 = 70 + 24 = 94$ (cm)입니다.

76 · Run-A 6-1

★ 각기둥과 각뿔의 이름 알아보기

6 모서리가 12개로 같은 각기둥과 각뿔의 이름을 각각 써 보세요.

각기둥의 이름 (**사각기둥**)
각뿔의 이름 (**육각뿔**)

개념 피드백
① 각기둥에서 (모서리의 수)=(한 밑면의 변의 수)×3입니다.
② 각뿔에서 (모서리의 수)=(밑면의 변의 수)×2입니다.

❖ (■각기둥의 모서리의 수)=■×3=12, ■=4
➜ 한 밑면의 변이 4개인 각기둥은 사각기둥입니다.
(▲각뿔의 모서리의 수)=▲×2=12, ▲=6
➜ 밑면의 변이 6개인 각뿔은 육각뿔입니다.

6-1 면이 8개인 각뿔의 이름을 써 보세요.

(**칠각뿔**)

❖ (▲각뿔의 면의 수)=▲+1=8, ▲=7
➜ 밑면의 변이 7개인 각뿔은 칠각뿔입니다.

6-2 꼭짓점이 18개인 각기둥의 이름을 써 보세요.

(**구각기둥**)

❖ (■각기둥의 꼭짓점의 수)=■×2=18, ■=9
➜ 한 밑면의 변이 9개인 각기둥은 구각기둥입니다.

6-3 면이 6개로 같은 각기둥과 각뿔의 이름과 모서리의 수를 써 보세요.

	이름	모서리의 수(개)
각기둥	**사각기둥**	**12**
각뿔	**오각뿔**	**10**

❖ (■각기둥의 면의 수)=■+2=6, ■=4 → 사각기둥
➜ (사각기둥의 모서리의 수)=4×3=12(개)
(▲각뿔의 면의 수)=▲+1=6, ▲=5 → 오각뿔
➜ (오각뿔의 모서리의 수)=5×2=10(개)

2. 각기둥과 각뿔 · 77

교과서 서술형 연습

1 밑면의 모양이 오른쪽과 같은 각기둥의 모서리는 모두 몇 개인지 구해 보세요.

해결하기 밑면의 모양이 **칠각형** 이므로 각기둥의 한 밑면의 변은 **7** 개입니다.
따라서 (각기둥의 모서리의 수)=(한 밑면의 변의 수)× **3** 이므로
각기둥의 모서리는 모두 **7** × **3** = **21** 개입니다.

답 구하기 **21개**

2 밑면의 모양이 한과를 담은 그릇과 같은 각기둥의 꼭짓점은 모두 몇 개인지 구해 보세요.

해결하기 **예** 밑면의 모양이 팔각형이므로 각기둥의 한 밑면의 변은 8개입니다. 따라서 (각기둥의 꼭짓점의 수)=(한 밑면의 변의 수)×2이므로 각기둥의 꼭짓점은 모두 $8 \times 2 = 16$(개)입니다.

답 구하기 **16개**

78 · Run-A 6-1

3 다음 입체도형이 각기둥이 아닌 이유를 2가지 써 보세요.

해결하기 첫째, 각기둥은 서로 평행한 두 면이 **합동** 입니다. 주어진 입체도형은 서로 평행한 두 면이 **합동** 이 아니므로 각기둥이 아닙니다.
둘째, 각기둥의 옆면은 모두 **직사각형** 입니다. 주어진 입체도형은 옆면이 **직사각형** 이 아니므로 각기둥이 아닙니다.

4 다음 입체도형이 각뿔이 아닌 이유를 2가지 써 보세요.

각뿔에서 밑면과 옆면의 모양을 각각 생각해 봐.

해결하기 **예** 첫째, 각뿔은 밑에 놓인 면이 다각형입니다. 주어진 입체도형은 밑에 놓인 면이 다각형이 아니므로 각뿔이 아닙니다.
둘째, 각뿔의 옆면은 모두 삼각형입니다. 주어진 입체도형은 옆면이 삼각형이 아니므로 각뿔이 아닙니다.

2. 각기둥과 각뿔 · 79

PLAY
사고력 개념 스토리   오답노트 완성하기

각기둥과 각뿔의 전개도와 겨냥도에 맞는 붙임딱지를 붙이고, 빈 곳을 채워 문제를 풀어 보세요.

주어진 직사각형 4개로 옆면이 이루어진 입체도형의 모든 모서리의 길이의 합을 구해 보세요.

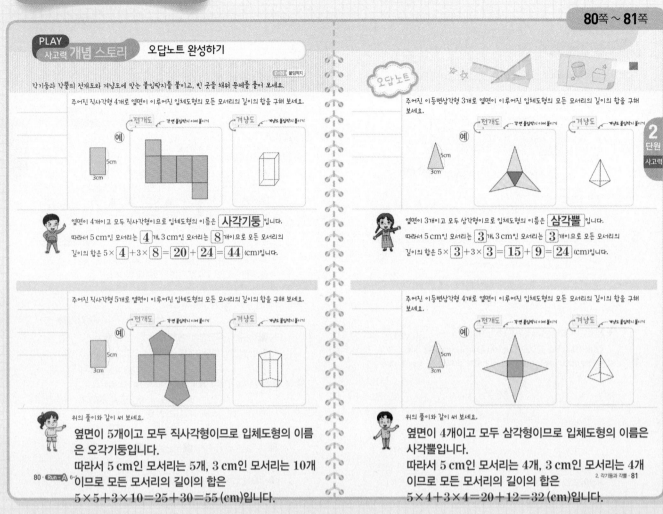

옆면이 4개이고 모두 직사각형이므로 입체도형의 이름은 **사각기둥**입니다.
따라서 5 cm인 모서리는 **4**개, 3 cm인 모서리는 **8**개이므로 모든 모서리의
길이의 합은 5×**4**+3×**8**=**20**+**24**=**44** (cm)입니다.

주어진 직사각형 5개로 옆면이 이루어진 입체도형의 모든 모서리의 길이의 합을 구해 보세요.

위의 풀이와 같이 써 보세요.
옆면이 5개이고 모두 직사각형이므로 입체도형의 이름
은 오각기둥입니다.
따라서 5 cm인 모서리는 5개, 3 cm인 모서리는 10개
이므로 모든 모서리의 길이의 합은
5×5+3×10=25+30=55 (cm)입니다.

주어진 이등변삼각형 3개로 옆면이 이루어진 입체도형의 모든 모서리의 길이의 합을 구해
보세요.

옆면이 3개이고 모두 삼각형이므로 입체도형의 이름은 **삼각뿔**입니다.
따라서 5 cm인 모서리는 **3**개, 3 cm인 모서리는 **3**개이므로 모든 모서리의
길이의 합은 5×**3**+3×**3**=**15**+**9**=**24** (cm)입니다.

주어진 이등변삼각형 4개로 옆면이 이루어진 입체도형의 모든 모서리의 길이의 합을 구해
보세요.

위의 풀이와 같이 써 보세요.
옆면이 4개이고 모두 삼각형이므로 입체도형의 이름은
사각뿔입니다.
따라서 5 cm인 모서리는 4개, 3 cm인 모서리는 4개
이므로 모든 모서리의 길이의 합은
5×4+3×4=20+12=32 (cm)입니다.

80 · Run- A 6-1

2. 각기둥과 각뿔 · 81

PLAY
사고력 개념 스토리   전개도 완성하기

전개도를 접었을 때 서로 마주 보는 면끼리 같은 색이 되게 점선으로 표시된 칸에 붙임딱지를 붙여
사각기둥의 전개도를 완성하고, 파란색으로 표시한 선분과 만나는 선분에 빨간색으로 표시해 보세요.

82 · Run- A 6-1

2. 각기둥과 각뿔 · 83

1 단계 교과 사고력 잡기

1 선생님이 종이에 그린 입체도형의 면은 모두 몇 개인지 구해 보세요.

1️⃣ 알맞은 도형에 ○표 하세요.

> 현수와 재영이가 말한 특징을 모두 만족하는 입체도형은 ((각기둥), 각뿔)입니다.

2️⃣ 1️⃣에서 선택한 입체도형에 맞게 표의 빈칸에 알맞은 식을 써넣으세요.

한 밑면의 변의 수(개)	모서리의 수(개)	꼭짓점의 수(개)
●	●×3	●×2

3️⃣ 2️⃣를 이용하여 민경이가 말한 특징을 만족하는 식을 쓰고 ●를 구해 보세요.

식 $●×3+●×2=35$

답 7

❖ $●×3+●×2=35$, $●×5=35$, $●=35÷5=7$

4️⃣ 입체도형의 이름은 무엇일까요?

(**칠각기둥**)

❖ 한 밑면의 변이 7개인 각기둥은 칠각기둥입니다.

5️⃣ 입체도형의 면은 모두 몇 개일까요?

(**9개**)

❖ (각기둥의 면의 수)=(한 밑면의 변의 수)+2이므로
칠각기둥의 면은 $7+2=9$(개)입니다.

---

2 밑면과 옆면의 모양이 그림과 같은 입체도형의 모든 모서리의 길이의 합을 구해 보세요.

1️⃣ 알맞은 도형에 ○표 하고 □ 안에 알맞은 말을 써넣으세요.

> 밑면이 다각형이고 옆면이 직사각형인 입체도형은 ((각기둥), 각뿔)입니다.
> 따라서 입체도형의 이름은 **사각기둥** 입니다.

❖ 밑면이 사각형인 각기둥은 사각기둥입니다.

2️⃣ □ 안에 알맞은 수를 써넣으세요.
입체도형에서 길이가 5 cm인 모서리는 **8** 개, 7 cm인 모서리는 **4** 개입니다.

3️⃣ 입체도형의 모든 모서리의 길이의 합은 몇 cm일까요?

(**68 cm**)

❖ $5×8+7×4=40+28=68$ (cm)

3 밑면과 옆면의 모양이 그림과 같은 입체도형의 모든 모서리의 길이의 합은 몇 cm일까요?

(**72 cm**)

❖ 밑면이 육각형이고 옆면이 직사각형인 입체도형이므로 육각기둥입니다.
육각기둥에서 길이가 3 cm인 모서리는 12개, 6 cm인 모서리는 6개입니다.

➔ (모든 모서리의 길이의 합)=$3×12+6×6=36+36=72$ (cm)

---

1 단계 교과 사고력 잡기

4 윤하가 말한 세 조건을 만족하는 입체도형의 모서리는 모두 몇 개인지 구해 보세요.

> 첫째, 밑면은 다각형입니다.
> 둘째, 옆면은 모두 삼각형입니다.
> 셋째, 면의 수와 꼭짓점의 수의 합은 14입니다.

1️⃣ 알맞은 도형에 ○표 하세요.

> 첫째와 둘째 조건을 모두 만족하는 입체도형은 (각기둥, (각뿔))입니다.

2️⃣ 1️⃣에서 선택한 입체도형에 맞게 표의 빈칸에 알맞은 식을 써넣으세요.

밑면의 변의 수(개)	면의 수(개)	꼭짓점의 수(개)
▲	▲+1	▲+1

3️⃣ 2️⃣를 이용하여 셋째 조건을 만족하는 식을 쓰고 ▲를 구해 보세요.

식 $▲+1+▲+1=14$

답 6

❖ $▲+1+▲+1=14$, $▲+▲+2=14$,
$▲+▲=12$, $▲=12÷2=6$

4️⃣ 입체도형의 이름은 무엇일까요?

(**육각뿔**)

❖ 밑면의 변이 6개인 각뿔은 육각뿔입니다.

5️⃣ 입체도형의 모서리는 모두 몇 개일까요?

(**12개**)

❖ (각뿔의 모서리의 수)=(밑면의 변의 수)×2이므로
육각뿔의 모서리는 $6×2=12$(개)입니다.

---

5 사각기둥의 전개도에서 면 ㄹㅁㅂㅋ의 넓이가 28 cm², 면 ㄴㄷㄹㅍ의 넓이가 56 cm²입니다. 이 전개도의 둘레의 길이를 구해 보세요.

1️⃣ 선분 ㄹㅁ의 길이를 구해 보세요.

(**7 cm**)

❖ (직사각형의 넓이)=(가로)×(세로)
➔ 선분 ㄹㅁ의 길이를 □ cm라 하면 $4×□=28$,
$□=28÷4$, $□=7$입니다.

2️⃣ 선분 ㄷㄹ의 길이를 구해 보세요.

(**7 cm**)

❖ 전개도를 접었을 때 맞닿는 선분의 길이는 같습니다.
➔ (선분 ㄷㄹ)=(선분 ㄹㅁ)=7 cm

3️⃣ 선분 ㄴㄷ의 길이를 구해 보세요.

(**8 cm**)

❖ 선분 ㄴㄷ의 길이를 △ cm라 하면 $7×△=56$,
$△=56÷7$, $△=8$입니다.

4️⃣ 사각기둥 전개도의 둘레의 길이를 구해 보세요.

(**84 cm**)

❖ 길이가 4 cm인 모서리는 6개, 7 cm인 모서리는 4개,
8 cm인 모서리는 4개입니다.
➔ $4×6+7×4+8×4=24+28+32=84$ (cm)

정답과 풀이 p.22

2단계 교과 사고력 확장

1 그림과 같이 각기둥을 평면으로 잘랐을 때 생긴 두 입체도형의 겨냥도를 각각 그리고 입체도형의 이름을 써 보세요.

① → 예
삼각기둥 삼각기둥

② → 예
사각기둥 삼각기둥

③ → 예
사각기둥 삼각기둥

④ → 예
오각기둥 삼각기둥

✦ 입체도형의 겨냥도를 그릴 때 보이는 모서리는 실선으로, 보이지 않는 모서리는 점선으로 나타냅니다.
잘라서 생긴 두 입체도형은 두 면이 서로 평행하고 합동인 입체도형이므로 각기둥입니다.
각기둥의 한 밑면의 변의 수를 보고 각기둥의 이름을 알아봅니다.

2 사각기둥에 그림과 같이 선을 그었습니다. 사각기둥의 전개도에 선이 지나간 자리를 그려 보세요.

①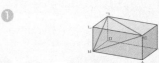
↓
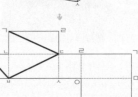

②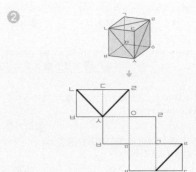
↓

✦ 전개도에 꼭짓점을 나타낸 다음 겨냥도에서 선이 그어진 곳을 전개도에서 찾아 선을 긋습니다.

정답과 풀이 p.22

2단계 교과 사고력 확장

3 강호와 서희가 각각 사진 속 건물의 모양을 보고 입체도형을 만든 것입니다. 강호와 서희의 설명을 읽고 질문에 맞는 답을 구해 보세요.

① 강호
두 입체도형을 붙여서 시계탑 모양처럼 만들었어요.
이 입체도형의 모서리의 수와 면의 수의 차는 얼마일까요?

▲ 빅 벤 시계탑(영국 런던)

(7)

✦ 모서리의 수는 16이고, 면의 수는 9이므로 차는 16-9=7입니다.

② 서희
루브르 박물관의 피라미드 모양과 같은 입체도형을 2개 붙여서 만들었어요.
이 입체도형의 모서리의 수와 면의 수의 합은 얼마일까요?

▲ 루브르 박물관(프랑스 파리)

(20)

✦ 모서리의 수는 12이고, 면의 수는 8이므로 합은 12+8=20입니다.

4 보기와 같이 꼭짓점을 고무찰흙으로, 모서리를 막대로 나타내어 입체도형을 만들려고 합니다. 주어진 재료를 남김없이 모두 사용하여 만들 수 있는 각기둥 또는 각뿔을 그려 보세요.

보기

고무찰흙 5개 → 꼭짓점
막대 8개 → 모서리
꼭짓점이 5개이고 모서리가 8개인 입체도형은 사각뿔입니다.

①  → 예

✦ 꼭짓점이 6개이고 모서리가 10개인 입체도형은 오각뿔입니다.

② 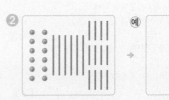 → 예

✦ 꼭짓점이 12개이고 모서리가 18개인 입체도형은 육각기둥입니다.

3 단계 교과 사고력 완성

정답과 풀이 p.23

1 꼭짓점을 고무찰흙으로, 모서리를 막대로 나타내어 각기둥을 만들려고 합니다. 규칙적으로 늘어놓은 각기둥의 꼭짓점의 수만큼 고무찰흙을 차례로 나타낸 것입니다. 7번째 각기둥의 모서리는 모두 몇 개인지 구해 보세요.

1번째 2번째 3번째 4번째 ······

(**27개**)

순서(번째)	1	2	3	4	······
꼭짓점의 수(개)	6	8	10	12	······

→ 8−6=2, 10−8=2, 12−10=2······이므로 꼭짓점은 2개씩 늘어납니다.
7번째 각기둥의 꼭짓점의 수는 12+2+2+2=18입니다.
(각기둥의 꼭짓점의 수)=(한 밑면의 변의 수)×2이므로 꼭짓점의 수가 18인 각기둥의 한 밑면의 변의 수는 18÷2=9입니다.
따라서 한 밑면의 변이 9개인 구각기둥의 모서리는 9×3=27(개)입니다.

2 꼭짓점을 고무찰흙으로, 모서리를 막대로 나타내어 각뿔을 만들려고 합니다. 규칙적으로 늘어놓은 각뿔의 꼭짓점의 수만큼 고무찰흙을 차례로 나타낸 것입니다. 8번째 각뿔의 모서리는 모두 몇 개인지 구해 보세요.

1번째 2번째 3번째 4번째 ······

(**20개**)

순서(번째)	1	2	3	4	······
꼭짓점의 수(개)	4	5	6	7	······

→ 5−4=1, 6−5=1, 7−6=1······이므로 꼭짓점은 1개씩 늘어납니다.
8번째 각뿔의 꼭짓점의 수는 7+1+1+1+1=11입니다.
(각뿔의 꼭짓점의 수)=(밑면의 변의 수)+1이므로 꼭짓점의 수가 11인 각뿔의 밑면의 변의 수는 11−1=10입니다.
따라서 밑면의 변이 10개인 십각뿔의 모서리는 10×2=20(개)입니다.

---

3 다음 직사각형은 옆면이 모두 3개인 어떤 각기둥의 옆면을 모두 나타낸 것입니다. 이 각기둥의 전개도를 모눈종이에 그리고, 전개도만큼을 잘라 냈을 때 남는 모눈종이의 넓이를 구해 보세요. (단, 각기둥의 밑면은 직각삼각형입니다.)

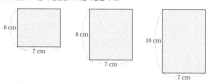

6 cm 7 cm / 8 cm 7 cm / 10 cm 7 cm

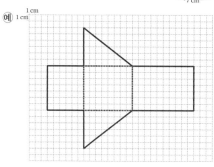

(예) 1 cm / 1 cm

(**474 cm²**)

❖ 각기둥에서 옆면끼리 만나서 생긴 모서리의 길이로 높이를 알 수 있으므로 주어진 옆면 3개에 공통으로 있는 7cm는 각기둥의 높이입니다.
→ 밑면은 세 변이 6 cm, 8 cm, 10 cm인 직각삼각형이고 높이는 7 cm인 삼각기둥입니다.
(모눈종이의 넓이)=30×23=690 (cm²)
(전개도의 넓이)=(6×8÷2)×2+6×7+8×7+10×7
=48+42+56+70=216 (cm²)
따라서 전개도만큼을 잘라 냈을 때 남는 모눈종이의 넓이는 690−216=474 (cm²)입니다.

⭐ 종합평가   2. 각기둥과 각뿔

맞은 개수

정답과 풀이 p.23

1 도형을 보고 각기둥과 각뿔을 모두 찾아 기호를 써넣으세요.

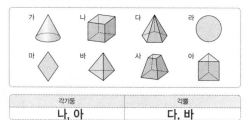

가 나 다 라
마 바 사 아

각기둥	각뿔
나, 아	다, 바

❖ • 각기둥: 모든 면이 다각형이고 서로 평행한 두 면이 합동인 입체도형
• 각뿔: 밑면이 다각형이고 옆면이 모두 삼각형인 입체도형

2 □ 안에 각 부분의 이름을 알맞게 써넣으세요.

각뿔의 꼭짓점
높이
꼭짓점 모서리

❖ • 모서리: 면과 면이 만나는 선분
• 높이: 각뿔의 꼭짓점에서 밑면에 수직인 선분의 길이

3 그림을 보고 □ 안에 알맞은 각기둥의 이름을 써넣어 설명을 완성하세요.

사각기둥 모양의 카스텔라를 **삼각기둥** 모양 2개로 자른 것입니다.

---

4 각기둥의 전개도를 보고 물음에 답하세요.

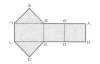

ㅊ / ㄱ ㅈ ㅇ ㅅ / ㄴ ㄷ ㅁ ㅂ

(1) 전개도를 접었을 때 면 ㄱㅈㅊ과 수직으로 만나는 면은 모두 몇 개일까요?

(**3개**)

❖ 면 ㄱㄴㄷㅈ, 면 ㅈㄹㅁㅇ, 면 ㅇㅁㅂㅅ

(2) 전개도를 접었을 때 선분 ㅇㅅ과 맞닿는 선분을 찾아 써 보세요.

(**선분 ㅊㄱ**)

❖ 전개도를 접었을 때 점 ㅇ과 점 ㅊ, 점 ㅅ과 점 ㄱ이 만나므로 선분 ㅇㅅ과 선분 ㅊㄱ이 맞닿습니다.

5 각기둥의 전개도를 그려 보세요.

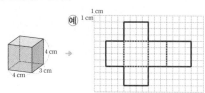

4 cm 4 cm 3 cm → (예) 1 cm / 1 cm

6 수가 많은 것부터 순서대로 기호를 써 보세요.

㉠ 육각뿔의 꼭짓점의 수
㉡ 사각기둥의 모서리의 수
㉢ 구각기둥의 면의 수

(**㉡, ㉢, ㉠**)

❖ ㉠ 6+1=7(개), ㉡ 4×3=12(개), ㉢ 9+2=11(개)
→ ㉡>㉢>㉠

종합평가 2. 각기둥과 각뿔

정답과 풀이 p.24

7 다음 입체도형은 각기둥이 아닙니다. 그 이유를 써 보세요.

이유 예 **서로 평행한 두 면이 합동이지만 다각형이 아니기 때문에 각기둥이 아닙니다.**

❖ 예 각기둥의 옆면은 모두 직사각형이지만 주어진 입체도형은 옆면이 직사각형이 아니기 때문입니다.

8 사각기둥의 전개도를 접었을 때 면 나와 평행한 면을 찾아 써 보세요.

(**면 바**)

❖ 평행한 면: 가와 라, 나와 바, 다와 마

9 밑면의 모양이 다음과 같은 각기둥의 꼭짓점은 모두 몇 개일까요?

(**16개**)

❖ 밑면의 모양이 팔각형이므로 팔각기둥입니다.
  ➡ 팔각기둥의 꼭짓점은 모두 $8 \times 2 = 16$(개)입니다.

10 밑면의 변의 수의 합이 12인 각기둥의 이름을 써 보세요.

(**육각기둥**)

❖ 각기둥의 밑면은 2개이고, 밑면의 변의 수의 합이 12이므로 한 밑면의 변의 수는 $12 \div 2 = 6$입니다.
  ➡ 따라서 밑면의 모양이 육각형이므로 육각기둥입니다.

11 오각기둥과 오각뿔의 공통점을 찾아 기호를 써 보세요.

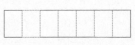

	옆면의 모양	밑면의 수(개)	모서리의 수(개)	밑면의 모양
오각기둥	직사각형	2	15	오각형
오각뿔	삼각형	1	10	오각형

(ㄹ)

12 어떤 각기둥의 전개도에서 옆면만 나타낸 것입니다. 이 각기둥의 밑면의 모양은 어떤 도형일까요?

(**칠각형**)

❖ 옆면의 수가 7개이므로 칠각기둥입니다.
  ➡ 칠각기둥의 밑면의 모양은 칠각형입니다.

13 밑면의 모양이 오른쪽 볼트의 모양과 같은 각뿔의 모서리는 몇 개일까요?

(**12개**)

❖ 밑면의 모양이 육각형인 각뿔은 육각뿔이므로 모서리의 수는 $6 \times 2 = 12$(개)입니다.

14 옆면의 모양이 오른쪽과 같은 이등변삼각형 4개로 이루어진 각뿔이 있습니다. 이 각뿔의 모든 모서리의 길이의 합은 몇 cm일까요?

(**48 cm**)

❖ 옆면이 4개이면 사각뿔입니다.
  길이가 7 cm인 모서리는 4개, 5 cm인 모서리는 4개이므로 $7 \times 4 + 5 \times 4 = 28 + 20 = 48$ (cm)입니다.

종합평가 2. 각기둥과 각뿔

정답과 풀이 p.24

15 삼각기둥의 전개도가 아닌 것을 찾아 기호를 쓰고 그 이유를 써 보세요.

가

나

(**가**)

이유 예 **밑면이 1개이므로 각기둥이 될 수 없습니다.**

❖ 삼각기둥의 전개도: 밑면인 삼각형 2개, 옆면인 직사각형 3개

16 사각기둥의 전개도입니다. 전개도의 둘레는 몇 cm일까요?

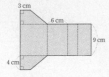

(**70 cm**)

❖ 전개도의 둘레를 보면 3 cm인 선분이 4개, 4 cm인 선분이 4개, 6 cm인 선분이 4개, 9 cm인 선분이 2개입니다.
  ➡ $3 \times 4 + 4 \times 4 + 6 \times 4 + 9 \times 2 = 12 + 16 + 24 + 18 = 70$ (cm)

17 어떤 각뿔의 꼭짓점의 수와 모서리의 수를 더하였더니 16이었습니다. 이 각뿔의 면은 몇 개일까요?

(**6개**)

❖ ●각뿔의 (꼭짓점의 수)=●+1, (모서리의 수)=●×2이므로
  ●+1+●×2=16, ●×3=15, ●=5입니다.

따라서 오각뿔의 면의 수는 5+1=6(개)입니다.

특강 창의·융합 사고력

정답과 풀이 p.24

1 각기둥의 밑면과 같거나 가장 비슷한 모양의 교통 표지판을 찾아 선으로 이어 보세요.

❖ 모서리가 9개인 각기둥: 한 밑면의 변은 $9 \div 3 = 3$(개)이므로 밑면은 삼각형입니다.
  면이 7개인 각기둥: 한 밑면의 변은 $7 - 2 = 5$(개)이므로 밑면은 오각형입니다.
  꼭짓점이 16개인 각기둥: 한 밑면의 변은 $16 \div 2 = 8$(개)이므로 밑면은 팔각형입니다.

2 사다리를 타고 내려 가서 도착하는 곳에 설명에 맞는 각뿔의 겨냥도를 그려 보세요.

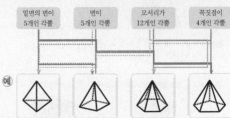

❖ 밑면의 변이 5개인 각뿔: 오각뿔입니다.
  면이 5개인 각뿔: 밑면의 변은 $5 - 1 = 4$(개)이므로 사각뿔입니다.
  모서리가 12개인 각뿔: 밑면의 변은 $12 \div 2 = 6$(개)이므로 육각뿔입니다.
  꼭짓점이 4개인 각뿔: 밑면의 변은 $4 - 1 = 3$(개)이므로 삼각뿔입니다.

단원별 기초 연산 드릴 학습서

최강 단원별 연산은 내게 맡겨라!

천재
계산박사

교과과정 바탕

교과서 주요 내용을
단원별로 세분화한 12단계 구성으로
실력에 맞는 단계부터 시작 가능!

연산 유형 마스터

원리 학습에서 계산 방법 익히고,
문제를 반복 연습하여
초등 수학 단원별 연산 완성!

재미 UP! QR 학습

딱딱하고 수동적인 연산학습은 NO!
QR 코드를 통한 〈문제 생성기〉와
〈학습 게임〉으로 재미있는 수학 공부!

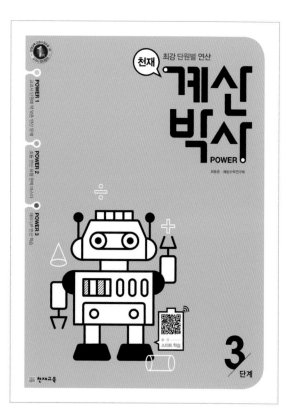

탄탄한 기초는 물론
계산력까지 확실하게!
초등1~6학년(총 12단계)

정답은
이안에
있어 !

난이도 별점
쉬움 ★
보통 ★★★
어려움 ★★★★★
최상위 ★★★★★★★

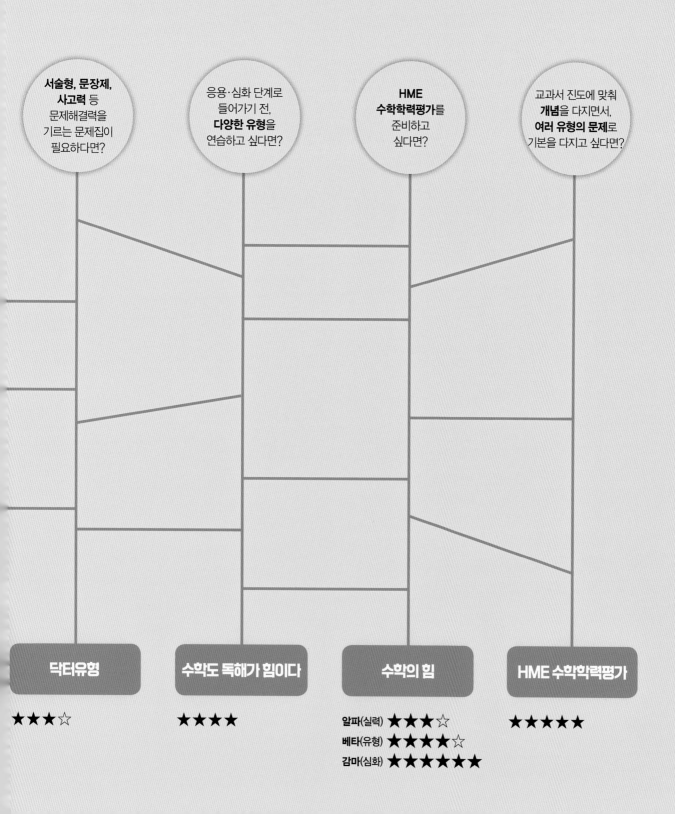

서술형, 문장제, 사고력 등
문제해결력을
기르는 문제집이
필요하다면?

응용·심화 단계로
들어가기 전,
다양한 유형을
연습하고 싶다면?

**HME
수학학력평가**를
준비하고
싶다면?

교과서 진도에 맞춰
개념을 다지면서,
여러 유형의 문제로
기본을 다지고 싶다면?

닥터유형

★★★☆

수학도 독해가 힘이다

★★★★

수학의 힘

알파(실력) ★★★☆
베타(유형) ★★★★☆
감마(심화) ★★★★★★

HME 수학학력평가

★★★★★

배움으로 행복한 내일을 꿈꾸는
천재교육 커뮤니티 안내 . . .

 교재 안내부터 구매까지 한 번에!
천재교육 홈페이지

천재교육 홈페이지에서는 자사가 발행하는 참고서,
교과서에 대한 소개는 물론 도서 구매도 할 수 있습니다.
회원에게 지급되는 별을 모아 다양한 상품 응모에도
도전해 보세요.

 구독, 좋아요는 필수! 핵유용 정보 가득한
천재교육 유튜브 <천재TV>

신간에 대한 자세한 정보가 궁금하세요?
참고서를 어떻게 활용해야 할지 고민인가요?
공부 외 다양한 고민을 해결해 줄 채널이 필요한가요?
학생들에게 꼭 필요한 콘텐츠로 가득한 천재TV로 놀러오세요!

 다양한 교육 꿀팁에 깜짝 이벤트는 덤!
천재교육 인스타그램

천재교육의 새롭고 중요한 소식을 가장 먼저 접하고 싶다면?
천재교육 인스타그램 팔로우가 필수!
누구보다 빠르고 재미있게 천재교육의 소식을 전달합니다.
깜짝 이벤트도 수시로 진행되니 놓치지 마세요!